D0170319

¿POR QUÉ LOS HOMBRES NO SE COMPROMETEN?

George Weinberg

¿Por qué los hombres no se comprometen?

Explore los complejos mecanismos de la mente masculina, los miedos más arraigados en el subconsciente de los hombres y sus dificultades para expresar sus emociones

URANO

Argentina - Chile - Colombia - España
Estados Unidos - México - Uruguay - Venezuela

Título original: *Why Men Won't Commit –*
Getting What You Both Want Without Playing Games
Editor original: Atria Books, New York
Traducción: Luz Hernández

Aribau, 142, pral. - 08036 Barcelona
www.edicionesurano.com
www.mundourano.com

ISBN: 84-7953-547-4
Depósito legal: B. 562 - 2005

Fotocomposición: Ediciones Urano, S. A.
Impreso por Romanyà Valls, S. A. - Verdaguer, 1 - 08786 Capellades (Barcelona)

Impreso en España - *Printed in Spain*

¿Qué es la vida cuando se anhela el amor?
La noche sin la mañana

—Robert Burns

Índice

SEGUNDA PARTE

CONECTAR

TERCERA PARTE

OCUPARTE DE TI MISMA

Agradecimientos

Este libro ha sido posible gracias a una serie de personas. Entre ellas destaca Dianne Rowe, cuyo agudo sentido de la lengua inglesa y su conocimiento de la gente mantuvo el manuscrito en buen camino durante todas sus etapas; Barbara Lowenstein, mi amiga y agente, quien concibió el libro e hizo sugerencias durante todo el proceso de elaboración; Kim Meisner, mi editora, que corrigió la versión final. Sus sugerencias añadieron amabilidad y una sensibilidad general a todo el proyecto. Otras personas cuyos consejos resultaron notablemente útiles durante el proceso de escritura fueron Lawrence Abrams, Lauren Howard y Patrice Robertie.

Introducción

Cualquiera que sea la circunstancia, desde una mesa en la que se comparte una comida a las comedias de situación, se oye a las mujeres hablar sobre los hombres diciendo que son irracionales, infantiles y que tienen miedo a comprometerse. Los hombres contribuyen a esta imagen comportándose como si el matrimonio fuese una trampa, poniendo cara de susto cuando la mujer menciona el futuro y demostrando un temor palpable a decir «te quiero».

Quizá tú misma hayas experimentado el problema. Tal vez seas atractiva, inteligente, capaz, sepas expresarte con claridad y estés lista para amar. En más de una ocasión puede que hayas pensado que el hombre con el que compartías tu vida era ideal para ti, pero acabaste por comprender que no iba a dar ningún paso hacia delante más. Intentaste distintos métodos pero, con el tiempo, tu perturbación fue en aumento y resultó difícil hacer nada bien hecho. Te enfadaste contigo misma y te enfureciste con él. Quizá tu hombre puso fin a la relación, quizá fuiste tú quien lo hizo. Pero, de cualquier modo, ahora forma ya parte del pasado y todavía no sabes exactamente qué fue lo que ocurrió.

Indudablemente, no quieres que esto vuelva a suceder en tu próxima relación, que tal vez ya haya empezado. Aun así, te resulta imposible no preocuparte. Pese a que exista un verdadero amor por ambas partes, sabes por experiencia (no sólo por la tuya sino también por la de tus amigas) con qué facilidad las cosas pueden torcerse. Los hombres tienen la peculiaridad de echarse atrás de repente.

Podría parecer que te enfrentas al problema clásico de los hombres —la fobia a comprometerse— por el que, sencillamente, los hombres no quieren que las relaciones se desarrollen como las mujeres desean. Pero esto es excesivamente simplista y falso. **En realidad, los hombres desean el compromiso, el amor y la estabilidad tanto como las mujeres.**

Entonces, ¿por qué tantos hombres actúan como si no fuera así?

Lo que aterroriza a los hombres en las relaciones amorosas no es el compromiso, sino lo que ellos perciben como **la pérdida de su masculinidad** (según la extraña noción que ellos tienen de la masculinidad). El secreto de por qué los hombres no se comprometen (incluso cuando *quieren* hacerlo) abarca unos miedos muy particulares que casi todos los hombres experimentan. Sin ser consciente de ello, quizá corras el peligro de desatar los miedos de tu hombre mediante actos sencillos que pueden provocar su temor a comprometerse contigo para toda la vida.

Desde la infancia, a los hombres se les ha educado para ser fuertes y reservados, para no demostrar jamás debilidad. Se les ha enseñado que expresar temor o dolor, o incluso decir que se sienten felices o que están enamorados, es algo impropio de un hombre. La mayoría de los hombres han pasado tantos años haciendo caso omiso de sus sentimientos que, cuando llegan a la edad adulta, pierden la capacidad de describir muchos de ellos o incluso de llegar a identificarlos. Sin embargo, siguen teniendo sentimientos, los cuales se convierten en unas fuerzas interiores no identificadas capaces de provocar su confusión. Todo lo que no somos capaces de identificar parece siempre exagerado y la mayoría de hombres reaccionan de forma exagerada cuando se sienten confundidos y amenazados.

Los sentimientos que más confunden a los hombres y que a menudo los llevan a actuar de un modo dramático son aquellos que *amenazan su masculinidad.* Son estos sentimientos los que les impiden comprometerse. Tu hombre soporta la enorme (y en su mayoría innecesaria) carga de tener que mantener una imagen de masculinidad que, a su modo de ver, puede fácilmente correr peligro, especialmente por causa de la mujer a la que ama.

La mayor equivocación que las mujeres cometen en las relaciones es la de *sobrestimar* a los hombres. Los hombres fingen controlar las situaciones y saber lo que hacen pero en verdad no están tan seguros de sí como quieren hacerte creer. Los hombres no poseen la comprensión de las emociones con la que cuentan las mujeres. Para tener una comprensión verdadera es necesario ser valiente. Cuando miramos por primera vez en nuestro interior, no siempre nos gusta lo que vemos. Por esa razón, muchos hombres no se molestan en intentarlo.

Es posible que tu hombre esté preocupado por algunos aspectos de la presentación de sí mismo que quizás a ti te resulten absolutamente triviales. Siente peligros que tú no podrías ni siquiera imaginar; sin embargo, no es capaz de hablar de ellos. Si pudiese, probablemente se daría cuenta de que no está bajo ninguna amenaza. Los dos juntos podríais hablar de estas cuestiones y ponerlas en perspectiva. Podrías ayudarle a darse cuenta de que comprometerse contigo no representaría ninguna amenaza para su imagen masculina.

Pero, dado que esa amenaza cobra la forma de un sentimiento indefinido —lo que yo denomino una reacción visceral—, puede arruinarlo todo. Tu hombre está demasiado guiado por sus reacciones viscerales, y cuando éstas son negativas, siente el deseo de huir. Quizá reaccione exageradamente a pequeñas cosas que le molestan en la relación porque no tiene la menor idea de qué decir o hacer para mejorarlas. Por desgracia, probablemente esto significa que el hombre de tu vida va a tomar grandes decisiones respecto a ti —decisiones que a menudo se basan en el miedo, como el miedo a sentirse atrapado o a demostrar debilidad— sin saber el porqué.

La mayoría de los hombres andan en busca de la mujer perfecta básicamente porque creen que *no es posible resolver* los problemas que afectan a las relaciones. En cuanto surge la menor dificultad, les parece más fácil abandonar que hablar del problema.

El hombre con el que empezaste a salir la semana pasada, o con el que mantienes una relación desde hace seis meses, experimenta abundantes reacciones viscerales. La mayoría de ellas son positivas pues, de no ser así, no estarías con él. Pero es probable que también tenga algunas reacciones negativas que le impidan comprometerse contigo. Ha tenido miedo de mirar en su interior durante tanto tiempo que sería incapaz de identificarlas ni siquiera bajo el efecto del suero de la verdad. Pero *tú* puedes averiguarlo.

Este libro trata de las razones por las cuales los hombres no se comprometen, pero aborda más específicamente lo que tú puedes hacer para ayudar a tu pareja a superar sus miedos irracionales, a fin de que pueda comprometerse plenamente contigo. Como mujer, probablemente poseas una comprensión innata de los sentimientos, una cualidad de la que carecen la mayoría de los hombres. Los sentimientos han formado parte de tu vida. Has convivido con ellos, los has discutido con tus amigas y los has aceptado como una parte de ti misma. Has utilizado la conciencia sobre tus sentimientos para mejorar tus relaciones pasadas. Ahora puedes emplear tu conocimiento para mejorar esta relación fácilmente y sin ningún coste adicional para ti. Puedes ayudar a tu hombre a avanzar hacia el compromiso que secretamente anhela.

Los hombres se asemejan entre sí mucho más de lo que parece. Casi cualquier hombre que se sienta atraído por ti y que quiera que la relación prospere, buscará básicamente el mismo trato de tu parte.

Ciertamente, el nuevo hombre de tu vida puede parecer muy distinto del último. Las personalidades de los hombres han sido moldeadas por sus historiales familiares, sus intereses, sus capacidades, etc., pero estos factores sólo explican las diferencias superficiales. **Todas las necesidades psicológicas básicas de los hombres son las mismas, y estas necesidades determinan sus reacciones viscerales.** Puedes pasar de un hombre al siguiente, pero si continúas actuando de la misma manera, es de prever que obtendrás las mismas respuestas, buenas o malas.

Obviamente, hay algunas cosas que son inevitables. Si la reacción visceral que un hombre manifiesta hacia ti es impropia de un modo que no te es posible controlar, lo mejor será abandonar la relación antes de profundizar demasiado en ella. Tal vez, por la razón que sea, sencillamente no le atraes lo bastante. Puede que vuestros respectivos objetivos en la vida difieran en exceso o vuestras religiones resulten incompatibles. O quizá se trate de algo físico: eres demasiado alta, o eres rubia y a él le gustan las mujeres morenas. Si se da este tipo de circunstancias, lo mejor es dejarlo correr. Ha llegado el momento de pasar página.

Sin embargo, la raíz del problema podría hallarse en algo que sí pueda cambiarse. Por ejemplo, tienes la misma altura que tu hombre, pero siempre llevas tacones y él nunca te ha dicho: «Por favor, no te pongas esos tacones de aguja de ocho centímetros». Sería una lástima que eso ocurriese cuando podríais haber sido muy felices juntos. Tal vez te preguntes ahora: «¿Por qué no me lo dijo? Él me importaba más que la elección de mis zapatos». Probablemente no te lo dijo porque sencillamente se «sentía mal» y ni él mismo comprendía la razón. Sentía que su masculinidad estaba vagamente amenazada, pero no se detuvo a analizar sus sentimientos o tu vestimenta. Resultaba más fácil retirarse y tal vez buscar a una mujer que le hiciese sentirse grande y fuerte. ¡La mujer perfecta!

Tu hombre puede reaccionar de esta manera ante otras cosas que hagas y que provoquen en él este sentimiento de amenaza. Se siente un tanto disgustado por algo que estás haciendo, quizás inocentemente, pero no es capaz de sacarlo a colación y, por esa razón, tú continúas haciéndolo. Muchas tragedias que tienen lugar en las relaciones ocurren cuando la mujer provoca reacciones negativas a causa de un comportamiento que estaría dispuesta a cambiar y que incluso preferiría cambiar.

En ocasiones, es posible cambiar de un modo muy significativo la relación sólo con comprender lo que pasa por la mente de tu hombre. Con demasiada frecuencia, las mujeres piensan que a fin de conservar a un hombre están obligadas a hacer grandes sacrificios, por lo que traicionan sus propias necesidades básicas en un intento desesperado de remodelarse a sí mismas. A medida que la situación se hace más insostenible, hasta es posible que dejen de ocuparse por completo de sí mismas. Tu hombre no es capaz de hablarte siempre de lo que le incomoda, pero si tú puedes discernir qué es lo que le provoca ese miedo irracional, entonces es posible empezar a hacer pequeños ajustes pronto para, de este modo, no tener la tentación de realizar grandes cambios más adelante.

Consideremos el caso de mi paciente Richard. Conoció a Tracy en un festival de cine y desde el principio conectaron de maravilla. Richard era maestro y Tracy una exitosa agente de viajes. Richard se sentía fuertemente atraído hacia Tracy y estaba eufórico por haber encontrado a alguien que compartía su interés por los libros y las películas antiguas. Las primeras citas fueron muy bien. Ninguno de los dos habló mucho de sus anteriores matrimonios.

Pero en su cuarta cita empezaron a hablar sobre los escenarios de sus películas favoritas. Tracy mencionó que había querido utilizar su conexión con los viajes a fin de visitar algunos de los famosos exteriores con su marido. Se emocionó mucho describiendo de qué modo «Bob y yo fuimos a Venecia y a Mónaco, e incluso a Argel». Describió a Bob como un viajero idóneo. «Una cosa que hay que reconocerle a Bob es que era un conductor audaz. Tendrías que haberlo visto conduciendo por las estrechas carreteras de Mónaco.»

Richard se quedó inusualmente silencioso, pero Tracy no lo advirtió. No se le ocurrió pensar que Richard estaba reaccionando mal y que no tenía ningún deseo de ver a Bob conduciendo intrépidamente por Mónaco junto a Tracy. La conversación cambió y el tema pareció quedar zanjado, pero Richard regresó a casa con una reacción visceral muy negativa, tanto que ni siquiera quería pensar en ello. La semana siguiente en mi consulta, Richard me dijo que realmente le gustaba Tracy, pero que estaba pensando en finalizar la relación. Dijo que sencillamente no le parecía idónea para él. Al observar el cambio radical respecto a la imagen de Tracy, empecé a hacerle preguntas y finalmente le sonsaqué el recuerdo de la conversación sobre el ex marido de Tracy y lo mucho que ésta se había divertido con él. Una vez que conseguí que Richard lograse expresar con palabras lo que le había incomodado, fue capaz de discutirlo con Tracy.

Siguiendo mi consejo, Richard le dijo a Tracy que la conversación le había resultado dolorosa pues había tenido la sensación de que ella lo estaba comparando con su ex marido. Había sentido que su masculinidad había quedado debilitada en lo que interpretó como una competición con su ex marido. Tenía el sentimiento irracional de que Tracy le estaba siendo desleal.

Tracy se quedó perpleja. No había tenido la menor intención de transmitirle nada por el estilo. Le explicó a Richard que nunca se había sentido atraída hacia su ex marido tanto como se sentía hacia él, y que, como pareja, habían tenido muy pocas cosas en común. Cuando se fueron de viaje a Europa, su matrimonio ya atravesaba grandes dificultades y, una vez allí, no hicieron más que pelearse.

Dado que Richard fue capaz de identificar su reacción visceral y comunicarle a Tracy lo disgustado que se sentía, ésta pudo explicarle qué era lo que verdaderamente había querido decir. Tracy no habría imaginado nunca que, por alabar la manera de conducir de su ex marido, Richard pudiese considerarla desleal o viese atacada su masculinidad. Al fin y al cabo, ahora estaba con Richard y no con él. Ella sabía que su matrimonio había sido mayormente desgraciado. En la actualidad, apenas soportaba hablar con su ex marido.

Pero la necesidad de lealtad de Richard era muy fuerte e irracionalmente intensa, y su reacción frente a la deslealtad que había percibido había sido exagerada. Una vez que Tracy tuvo conocimiento de su hipersensibilidad, pudo manejarla con facilidad y afirmar su lealtad con presteza.

Tras un tiempo, Tracy consiguió que la cuestión de la lealtad fuese superada por completo. A medida que las reacciones viscerales positivas de Richard fueron creciendo, dejó de evaluar a Tracy y la aceptó como la persona maravillosa que realmente era. Pronto, fue el mismo Richard el que impulsó el compromiso. En realidad, su necesidad de lealtad empezó a funcionar a favor de Tracy.

¿Están justificadas las reacciones viscerales de los hombres? En muchos casos no. Pero, como se suele decir, la vida no es justa. Richard fue muy duro con Tracy por lo que, en realidad, fue un comentario totalmente inocente. Fue duro porque desconocía lo que estaba sintiendo; no identificó su sentimiento irracional de amenaza. Como comentaba, cuando no sabemos lo que sentimos, tenemos tendencia a reaccionar de un modo exagerado.

Al igual que Richard, muchos hombres tienen reacciones viscerales profundas y, como son incapaces de expresarlas con palabras, estas reacciones pueden gobernarlos de una manera muy negativa. Cuando sabes lo que te preocupa, puedes hacerle frente, pero si no sabes qué es lo que no funciona, entonces te devora.

Dado que los hombres están en la oscuridad con tanta frecuencia en lo que a las relaciones se refiere, tienden a reaccionar de un modo exagerado a las imperfecciones y a hacer marcha atrás cuando lo que en realidad quieren es avanzar. Siempre que tú misma no estés también en la oscuridad, podrás ayudar a tu hombre y a ti misma a que el compromiso resulte más fácil.

La clave consiste en comprender las preocupaciones secretas de los hombres y, en particular, las del hombre primordial de tu vida. Cuando las comprendas, harás que jueguen a tu favor.

Indudablemente, no tendrás que pasarte toda la vida estudiando al hombre con el que mantienes una relación. Ninguna relación merecería tal tarea, y, por supuesto, ninguna relación merece la carga constante de tener que hacer trampas para mantenerla.

Muchas mujeres, desesperadas por la aparente incapacidad de comprometerse de sus hombres, recurren a los trucos —tales como provocar sus celos o fingir que son inaccesibles o que no están interesadas en ellos— como medio para superar la resistencia a la que se enfrentan. Pero todas las estratagemas calculadas y diseñadas para vencer el «miedo de los hombres al compromiso» acaban convirtiéndose, con el tiempo, en una guerra de sexos. Los hombres poseen un poderoso radar que les induce a huir cuando alguien intenta «vencerles» por medio de estrategias.

Una vez que comprendas que tu hombre quiere comprometerse tanto como lo deseas tú, no sentirás la necesidad de utilizar estrategias. Te liberarás de la mentalidad que conduce a «la batalla de sexos».

El arte de mantener una relación amorosa consiste en que las dos personas conozcan, desde el principio, los puntos sensibles de cada una de ellas a fin de que no se produzcan grandes sorpresas a medida que la relación avance. Una vez conseguido eso, seréis capaces de dar y de recibir lo que ambos queréis de la relación. Transcurrido algún tiempo, lo pasarás de maravilla con tu hombre sin tener que esforzarte; disfrutarás de una relación amorosa duradera y, además, también obtendrás lo que tú necesitas.

Cuando empiezas a pensar en las reacciones viscerales de los hombres, pueden parecerte alarmantemente aleatorias, como minas escondidas en el camino hacia la felicidad con un hombre. Cuando accionas una accidentalmente, sobreviene un problema y el hombre da marcha atrás. Pero, por fortuna, las cosas no son en absoluto aleatorias.

Las reacciones viscerales de los hombres se dividen en cuatro categorías básicas, las cuales surgen de cuatro necesidades psicológicas especiales que comparten todos los hombres. Si no se satisfacen, cada una de estas necesidades lleva a tu hombre a sentirse amenazado de un modo singular. Estas necesidades resultan básicas para su sentido de masculinidad. Independientemente de la edad que tenga un hombre, de lo experimentado o lo sofisticado que sea, tendrá estas necesidades. Todos los hombres las tienen.

Todo hombre experimenta:

(1) la necesidad de ser especial;
(2) la necesidad de sentirse libre de cargas;
(3) la necesidad de lealtad y
(4) la necesidad de proximidad emocional.

Todas estas necesidades se exponen fácilmente y quizá te resulten familiares, pero, una vez que comprendas cómo funciona la psique masculina, verás que son todo menos sencillas. Cada necesidad adopta formas muy sutiles y está muy arraigada. En algunos hombres una necesidad es más dominante que las demás, pero todos presentan las cuatro.

La disposición favorable a comprometerse que manifiesta tu hombre refleja de qué modo tú, como mujer, te ocupas de esas cuatro necesidades básicas.

En este libro nos encontraremos con las cuatro necesidades básicas de los hombres una y otra vez. Veremos de qué modo estas necesidades son fundamentales para el sentimiento de masculinidad de los hombres. De ellas nacen las reacciones viscerales que construyen o destruyen tu futuro con un hombre. Comprender estas necesidades significa obtener un control verdadero; si lo haces de un modo directo y honesto, convertirás las posibles dificultades en oportunidades para establecer un vínculo aún más fuerte con el hombre al que amas.

También trataremos lo que yo denomino la Apariencia Masculina, o conjunto de actitudes que los hombres se imaginan que definen su masculinidad. Son estas actitudes las que hacen que tu hombre se sienta tan amenazado que le resulte difícil llegar al compromiso.

Mi propia posición ventajosa

Soy psicoterapeuta y desde hace mucho tiempo me dedico a la práctica privada. Durante los últimos diez años he estado trabajando mayoritariamente con hombres, lo cual hace que mi práctica resulte poco corriente, dado que la mayoría de la gente que se somete a terapia son mujeres. Como todo el mundo sabe, las mujeres están más dispuestas que los hombres a hablar de sí mismas y a explorar lo que ocurre en sus vidas.

Aparentemente, casi todos los hombres que acuden a mí gozan de éxito. Muchos de ellos tienen su propio negocio, o son profesionales liberales, o artistas creativos, y cuando menos, poseen un carácter ambicioso y emprendedor. Pero en lo referente a su vida amorosa, es otra historia. Inconscientemente, quieren que esa parte de su vida funcione por sí sola y, por supuesto, no ocurre así.

Muy pocos de los hombres con los que trabajo empiezan la terapia hablando de sus relaciones. Por lo general, suelen empezar hablando de las cosas que saben hacer: ganar dinero, tratar con la gente y ocuparse de muchos asuntos. Se enorgullecen de su poder y de su eficacia, o del hecho de que otras personas dependan de ellos. Sólo lentamente estos hombres empiezan a reconocer que están profundamente preocupados por las relaciones, ya sea por la que mantienen en la actualidad, por la que están considerando iniciar o por un matrimonio que está en crisis y no saben cómo salvar. Muchos de ellos se culpan por sus fracasos. («Trabajo demasiado.» «Viajo demasiado.») Aunque algunos han mantenido muchas relaciones, todavía no tienen capacidad de introspección. «Supongo que sencillamente no se me dan bien las mujeres.»

Todos ellos se sienten solos —tan solos como se han sentido mis pacientes mujeres a lo largo de los años—. La diferencia estriba en que a los hombres les cuesta mucho más tiempo admitir que se sienten desilusionados y solos. De hecho, a menudo tengo que preguntarles muy exhaustivamente sobre sus sentimientos antes de que lo confiesen.

Tras haber hablado con cientos de hombres que finalmente se abrieron a mí, estoy convencido de que los hombres desean las relaciones tanto como las mujeres. No creen tener fobia al compromiso. Al contrario, se sienten profundamente desilusionados cuando pierden a una posible alma gemela, aunque hayan sido ellos quienes hayan puesto punto y final a la relación.

Muchos de estos hombres han visto truncada una de las promesas de la vida. «¿Qué promesa?», les pregunto. Casi todos me dicen que soñaban estar con una mujer que no sólo les resultase atractiva, sino que fuese verdaderamente afectuosa, leal y espiritual con ellos, en lo bueno y en lo malo. Me cuentan que encuentran a mujeres atractivas y disponibles en abundancia, pero que sencillamente nunca funciona.

Por lo general, estos hombres describen al menos una relación que parecía perfecta durante un tiempo, antes de derrumbarse. Lo que suele ocurrir es que el hombre, sencillamente, se aparta. La mujer siente pánico pues lo pierde sin saber la razón. Irónicamente, el hombre tampoco es capaz de decir cuál es la razón.

En el estudio de las relaciones entre hombres y mujeres, he ido cobrando una conciencia cada vez mayor de la fragilidad del ego de los hombres. No percatarse de que incluso los hombres aparentemente más exitosos, en lo más profundo de su ser, son inseguros ha conducido a las mujeres, con la mejor de las intenciones, a experimentar unas dificultades que no han comprendido. Al no lograr apreciar cuáles son las verdaderas necesidades de los hombres, han provocado reacciones viscerales negativas —en ocasiones fatales para la relación—, cuando, haciendo *menos*, podrían haber cuidado mejor de sí mismas y haber dirigido la relación en la dirección que ellas deseaban.

Recientemente, intervine en lo que parecía el final de una maravillosa, pero corta, relación amorosa repleta de buen sexo y buenos momentos, en la que todo había parecido funcionar bien. Greg había montado su propia agencia de contratación empezando desde cero. Justo cuando conoció a Jennifer su negocio empezaba a tener éxito. Greg le hablaba a Jennifer de manera entusiasta sobre cómo ampliar y mejorar su operación. Jennifer se lanzó de lleno y, en un intento de serle útil a Greg, se consagró a buscar distintos emplazamientos para una posible ampliación del negocio. Difícilmente pasaba un día sin que ella le sugiriese alguna idea para su negocio.

Pero mientras Jennifer imaginaba que estaba ayudando a Greg, él empezó a sentirse cada vez peor. Estaba experimentando una reacción visceral muy negativa hacia Jennifer y no tenía la menor idea del porqué. Acudieron a mí en un último intento desesperado de recobrar su relación. Pude comprobar que Greg respondía a las sugerencias de Jennifer de dos maneras: por una parte, estaba encantando con su implicación y tenía algunas buenas ideas, pero, por otra, sus esfuerzos para ayudarle eran tan prolíficos que él empezó a sentirse fracasado. Sentía que Jennifer había dejado de verlo como realmente era: un hombre que había triunfado por sus propios méritos y que estaba a punto de iniciar una gran aventura.

En realidad, Jennifer le había colocado en un pedestal demasiado elevado. Pensaba que su éxito era tan grande y que tenía tanta seguridad en sí mismo que nada de lo que ella pudiese decir podría herirlo. En su afán por ayudar a Greg, Jennifer había negado inadvertidamente la necesidad que él tenía de ser visto de la manera en que él quería ser visto: como individuo, como una persona realizada.

Siguiendo mi consejo, Jennifer dejó de hacerle sugerencias a Greg sobre cómo mejorar el negocio durante dos meses y, después, sólo muy de vez en cuando. Cuando veía que algo estaba bien, felicitaba a Greg, tal como había hecho cuando se conocieron. Las reacciones viscerales de Greg cambiaron para bien casi de inmediato y vio de nuevo a Jennifer como la persona generosa y alentadora que era. Hoy todavía están juntos.

El hombre en tu vida reacciona con intensidad, tanto positiva como negativamente, a tus pequeños actos. Sufre unas reacciones viscerales mucho más fuertes de lo que revela. Si se parece a la mayoría de los hombres, le gustará fingir ante sí mismo y ante ti que está por encima de dichas reacciones, pero no lo está.

Si tu hombre siente interés y afecto por ti, eres mucho más importante para él de lo que te crees. *Y él está más supeditado a tu influencia de lo que te parece.* Ésta es un arma de doble filo. Es cierto que te arriesgas a provocar reacciones viscerales negativas, pero, con comprensión, crearás las reacciones viscerales que conduzcan al compromiso.

PRIMERA PARTE

Sus necesidades básicas

1

Los hombres son el sexo más débil

Si escuchases secretamente a las mujeres cuando narran las historias de sus relaciones en las consultas de los psicoterapeutas a lo largo y ancho del país, pensarías que el papel de la mujer es el de sufrir, abrigar esperanzas y resistir. Y que el del hombre es el de ser fuerte y tomar decisiones sobre la mujer de su vida con la mayor lentitud posible. Te preguntas: «¿Me verá una segunda vez?» «¿Me presentará a sus amigos o a su familia?» «¿Se decidirá algún día a casarse conmigo?»

Quizá te hagas más preguntas sobre su grado de compromiso contigo que sobre si tú quieres continuar con él. Por ejemplo, te preocupa que se canse sexualmente de ti, pero no que tú te canses de él o que lo encuentres inadecuado y que no sea merecedor de tu tiempo. Lo ves como si él tuviese la sartén por el mango.

Si ésta es tu percepción, estás, casi sin lugar a dudas, en apuros. Tal vez consideres que cada día que permaneces junto a él, y quizá cada vez que te llama por teléfono, es una victoria, pero estás sacrificando demasiado, esforzándote demasiado duramente por lo que debería ser tuyo de forma automática en una relación amorosa. Si consideras a este hombre tu única oportunidad, las cosas funcionarán mal tanto si continuáis juntos como si no. Sufrirás tanto y estarás tan enfadada con él por tener ese poder sobre ti que quizás hasta acabes sintiéndote más feliz si te deja.

Ahí está la ironía. Él no tiene la sartén por el mango, sencillamente finge tenerla. **Si eres capaz de comprender que los hombres son en verdad el sexo débil, tendrás diez veces más posibilidades de tener éxito en tu relación.** El hombre en tu vida no es, ni de lejos, tan fuerte como parece. Quizás intente conseguir que incluso sus decisiones románticas parezcan racionales, como si su actuación proviniese de la fortaleza, pero lo que estás viendo es sólo producto de su Apariencia Masculina, no de su verdadero yo.

La Apariencia Masculina consiste en un conjunto de actitudes que tu hombre siente que debe mostrar al mundo a fin de ser un hombre. Adopta la pose de que es fuerte, independiente, libre y que tiene el control. Incluye la idea de que otras personas no pueden herirle emocionalmente y de que la gente no puede conmoverle. Según el grado en el que tu hombre suscriba esta simulación, se comportará como si no te necesitase ni a ti ni a nadie como tú le necesitas a él. Por supuesto, la Apariencia Masculina es meramente eso: una apariencia. Bajo esa apariencia, tu hombre tiene el mismo miedo a estar solo que tú, está tan supeditado al dolor y al placer como tú y siente la misma necesidad de amor que tú. En su corazón, sabe que no actúa en absoluto desde una situación de fortaleza.

Al no permitirse ver la verdad, sus respuestas indican confusión en lugar de claridad y su relación contigo resulta más confusa para él que para ti. Aunque a tu hombre le encante estar contigo, tiene menos claro que tú lo que le acerca o le separa de ti. Está gobernado por sus reacciones viscerales que él mismo no es capaz de expresar. Comparado contigo, y con tus amigas íntimas, probablemente esté bastante menos desarrollado que tú en este aspecto. No sabe exactamente por qué te ama o por qué te ha escogido a ti entre todas las demás.

Y si se disgusta, si algo se aparta del rumbo de la relación, no sabrá qué hacer al respecto. Quizá decida precipitadamente renunciar a ella en lugar de intentar arreglar las cosas. Dado que tu hombre está más en la oscuridad que tú en lo relativo a sus emociones, se halla más dominado por sus reacciones viscerales.

Sally estaba en su cuarto año de licenciatura y Tom era un profesor asistente a tiempo completo en la misma universidad del Medio Oeste. Se conocieron en una fiesta de Navidad que se celebró en el campus. Tom tenía la reputación de ser un joven genio y Sally tenía la intención de matricularse en uno de sus cursos el año siguiente. Cuando se conocieron, ella se sintió cautivada por la educación y la sabiduría de Tom y por sus conocimientos en el campo que ella estudiaba, la literatura francesa. Se quedó perpleja por la atracción instantánea que había sentido hacia él y estuvo encantada cuando le pidió que saliesen juntos. Su relación empezó siendo el tipo de aventura romántica a la que a menudo conducen las relaciones entre alumno y profesor. Hacer el amor empezó como una conspiración para romper las barreras.

Desde el principio, Sally percibió que a Tom le gustaba ser una autoridad, el hombre que tenía todas las respuestas. Le hizo sugerencias para todos sus trabajos; se ofreció para examinar cualquier cosa en lo que ella estuviese trabajando. Un fin de semana insistió en pasar un día y medio arreglándole el ordenador, en lugar de dedicarlo a trabajar en el libro que tenía que proporcionarle un lugar destacado en su campo.

En realidad, Sally no necesitaba ninguna ayuda. Era una estudiante becaria que siempre había sacado notas excelentes por sí misma. Aceptó la ayuda de Tom porque le parecía algo excitante que la hacía sentirse más próxima a él. Sin embargo, al cabo de unos meses, la actitud de Tom con Sally cambió de repente. Con frecuencia, y aparentemente sin razón, era desagradable y se irritaba con ella, en ocasiones delante de otras personas. Sally intentó hablarlo con Tom, pero él le dijo que estaba harto de «hacerlo todo por ella». La segunda vez que Sally regresó llorando a su apartamento, tras haber sido insultada por Tom durante una fiesta, puso fin a la relación.

Sally no imaginaba que Tom estaba teniendo una reacción visceral hacia ella muy negativa que no era capaz de expresar. Tom no le había explicado a Sally el malestar que había sentido cuando había empezado a exagerar su papel de «hombre con respuestas». Ni siquiera él mismo había entendido el problema. Había pasado de ver a Sally como su inspiración a estar resentido con ella y sentir que le estaba robando algo muy valioso. Tenía sueños en los que ella le impedía escribir el libro que iba a hacerle famoso.

Tom empezó a hacer terapia conmigo poco después de su ruptura con Sally. La había estado llamando para volver a verla, pero ella se había negado. En la terapia, ayudé a Tom a ver que aquélla no había sido la primera vez que había perdido algo bueno por culpa de una mala reacción visceral. Tom se había sentido utilizado por las mujeres con anterioridad. De hecho, era algo que le sucedía de manera reiterada. Cuando conocía a una mujer, la Apariencia Masculina de Tom se apoderaba del control y empezaba a exhibirse ayudando a la mujer e impresionándola con sus vastos conocimientos. Pronto empezaba a estar resentido con ella y, antes de que ninguno de los dos pudiese saber qué estaba ocurriendo, la relación se había ido a pique. En algunos aspectos Tom era brillante, pero como muchos hombres, no tenía ni idea de qué estaba sintiendo ni por qué. Sólo cuando un sentimiento se hacía muy intenso captaba su atención, pero cuando eso ocurría ya era siempre demasiado tarde. Con todo su talento académico, sus reacciones viscerales eran agudas y muy primarias. Si Sally hubiese comprendido mejor las reacciones viscerales de los hombres, tal vez podría haber sido la mujer que hubiese puesto un punto y final al círculo vicioso y habría conseguido que Tom llegase a comprometerse con ella. Podrían haber formado un equipo fantástico.

Como todos los hombres, Tom tenía la necesidad de sentirse relativamente libre de responsabilidades. Si Sally hubiese entendido esta necesidad, habría podido insistir en que él no hiciese demasiado por ella. Habría protegido su propia dignidad, mejorado las reacciones viscerales de él hacia ella y salvado la relación.

Por supuesto, buena parte del problema de Sally provenía del problema de Tom. Pero vas a encontrarte con hombres con problemas, incluido el problema que tenía Tom. Y entre esos hombres los hay que son muy respetables y que sufren tanto por perderte a ti como tú por perderlos a ellos.

El hombre en tu vida quizá se esté echando atrás en la actualidad, aun cuando te necesite tanto como tú a él, o más. Necesitarte es una cosa; *saber que te necesita es otra.* A la mayoría de los hombres les resulta muy difícil saber lo que necesitan emocionalmente. Ésa es la razón por la que te conviene comprender sus reacciones viscerales tanto como sea posible.

De qué modo la Apariencia Masculina causa problemas a los hombres

Hablando por la mayoría de hombres, permíteme decir que no es estrictamente culpa nuestra que tendamos a estar en la oscuridad respecto a muchos de nuestros verdaderos sentimientos. Hemos estado limitados por nuestra Apariencia Masculina, la cual nos ha sido impuesta desde la niñez. Durante la infancia fuimos entrenados para tener éxito en la vida, y para conseguirlo era preciso ser racional y enérgico. Nos convertiríamos en atletas, hombres de negocios o profesionales de algún tipo. No se nos animó a conocernos emocionalmente. De hecho, nos enseñaron que los sentimientos son un estorbo.

Piensa en la camisa de fuerza emocional en la que nos han metido a los hombres. A ti, de niña, se te permitió ser indecisa o tener miedo. Si verdaderamente no tenías experiencia en algo, podías parecer inexperta. Si alguna crítica te hería, podías expresarlo. Si tenías ganas de llorar, eras libre de hacerlo. Si alguien no te invitaba a una fiesta y te sentías mal por ello, podías manifestarlo con la expresión de tu rostro. Si alguien te hacía algún cumplido, podías resplandecer. Se te animó a ser emotiva. Como mujer, se esperaba de ti que sintieses las cosas profundamente. Durante esos mismos primeros años, el hombre de tu vida era guiado en una dirección muy diferente. Su objetivo era hacerse fuerte, independiente y autosuficiente. Le enseñaron a hacer caso omiso de sus emociones y a «seguir adelante», a hacer lo que tenía que hacerse sin permitir jamás que la alegría o el desánimo lo absorbiesen. Con el tiempo, desarrollaste tu interés por los sentimientos y por otras personas. Cuando eras adolescente, muy probablemente dejaste de hablar con tu madre sobre cada uno de los altibajos en las relaciones sociales, aun cuando lo hubieses hecho de niña. Su lugar fue reemplazado por compañeras y amigas, y esto continuó siendo así a lo largo de los años.

Hasta el día de hoy, has podido hablar con una o dos amigas íntimas sobre una cita o incluso sobre una relación sexual. Puedes llamarlas por teléfono y preguntarles su opinión sobre qué ropa ponerte o sobre qué quiso decir un hombre cuando te hizo algún comentario concreto. Les puedes pedir consejo sobre qué decir si te llama un hombre y sobre qué hacer si no te llama. Si sientes ansiedad, no te importa demostrarlo.

Durante esos mismos años de desarrollo, mientras tú aprendías a hablar de las cosas, el hombre de tu vida estaba aprendiendo a no permitir que los sentimientos le desviasen de su camino y a no expresarlos. Aunque su vida estaba llena de retos, lo que éstos le hacían sentir parecía ser irrelevante. Disuadido de hablar de sus emociones con otras personas, maduró más solo. De hecho, perdió la capacidad de hablar sobre sus sentimientos más profundos y de llegar a conocerlos. En la actualidad, aun teniendo buenos amigos, es poco probable que les cuente las vicisitudes de sus relaciones emocionales. Probablemente estos amigos tengan muy poca o ninguna idea de lo que realmente está ocurriendo entre él y tú.

Por ejemplo, imagina que hace unas cuantas noches tuviste una gran pelea con él y que casi llegasteis a la ruptura. Acabó bien e hicisteis el amor, pero el malentendido permanece como una falla que temes que pueda dar lugar a un nuevo terremoto y que quizá desemboque en la ruptura final. Hablaste de la discusión con una amiga, intentando recordar tanto como pudiste lo que ambos dijisteis. Tu amiga te ofreció su opinión sobre si era culpa tuya o suya. Te sugirió algunas correcciones o tal vez te recomendó que te disculparas. O quizá te dijera que permanecieses firme porque tenías toda la razón. Lo más importante es que te apoyó y sabes que cuentas con ella en tu vida aunque la relación con tu hombre acabe mal.

Tu amante está hoy en un partido con sus dos mejores amigos, pero probablemente ni siquiera mencione la discusión. Si le preguntan cómo van las cosas entre vosotros dos, tal vez diga con una indiferencia fingida: «Bien». Casi siente que discutir los asuntos emocionales con alguien más es algo que ataca su honor. El silencio forma parte de su Apariencia Masculina. Es más que probable que todavía se sienta afectado por el problema que tuvo contigo. Puede que se sienta más desolado que tú porque tiene menos confidentes de los que tú tienes. Tú puedes decirle a una amiga: «Deseo mucho que esta relación funcione. Espero que lo haga». Él duda en admitir siquiera esto. A causa de su Apariencia Masculina, se censura a sí mismo exageradamente. En comparación con él, tú no sufres ninguna censura.

Ocurre lo mismo con los sentimientos positivos de tu hombre. También se muestra débil cuando tiene que expresarlos. El amor desea manifestarse y que los demás lo vean. Tú puedes permitirte expresar ese impulso. Tras pasar un maravilloso fin de semana con él, llamas afanosamente a una amiga y le describes la experiencia: «Ha sido fantástico, el mejor fin de semana de mi vida. Él se mostró tierno y cariñoso, hicimos algunos planes y empezamos a hablar sobre seguir juntos». Por otra parte, su Apariencia Masculina le impide celebrar la misma experiencia. Probablemente tiene miedo a admitir, incluso ante sí mismo, que el fin de semana fue tan bueno como realmente fue. Si acaso habla de él, lo máximo que dirá es que el sexo fue bueno y que planea seguir viéndote.

El hombre de tu vida alberga, en lo más profundo, las mismas emociones que tú, pero debido a su Apariencia Masculina no expresará sus sentimientos. Y no expresarlos se ha convertido en un hábito en él. Ni siquiera se los expresa a sí mismo como debería hacerlo. Esta flaqueza hará que se sienta desconcertado por los pequeños reveses en su relación contigo. Cuando surja alguna dificultad contigo, no la entenderá; del mismo modo que no entenderá por qué razón se siente tan derrotado o por qué le parece que ha perdido tanto. No importa lo mucho que pueda despotricar sobre lo que le parece que tú haces mal; a menudo está afectado y confundido.

No sólo sus emociones, sino también las razones básicas por las que te necesita continúan siendo un misterio para él. Tenemos la tendencia a dejar de decirnos aquello que no hemos podido decir a otras personas durante años. De este modo, con el tiempo, ha perdido su poder de análisis, de identificar lo que realmente está ocurriendo en su relación romántica contigo. Aunque tú hayas ahondado en las relaciones —tal vez tanto como para ser toda una experta—, probablemente él no lo haya hecho. Aun en el caso de que haya tenido muchas relaciones, bien podría ser un principiante en lo referente a la comprensión emocional. Es probable que estés leyendo este libro a fin de comprender mejor tu relación. Por lo que respecta a él, es más probable que esta semana esté leyendo una novela de espías o un libro sobre golf que uno sobre relaciones. Dado que tu hombre no procesa sus sentimientos ni los comprende como tú, sólo cuenta con sus reacciones viscerales para seguir adelante.

Las cuatro necesidades básicas que tienen todos los hombres

Aunque pueda parecer que las relaciones son bastante diferentes, todos los hombres tienen básicamente las mismas cuatro necesidades y tú debes conocerlas. Pese a que tu hombre sea único y tu relación con él sea especial, tiene estas necesidades al igual que el resto de hombres y las siente intensamente a causa de su Apariencia Masculina. Estas necesidades, que determinan sus reacciones viscerales hacia ti en cada fase de la relación, adoptan formas diferentes a medida que crece la proximidad entre vosotros. Cuando la relación amorosa progresa, evolucionan, se desarrollan y cambian. Si atiendes a esas necesidades pronto, el amor y la confianza crecerán rápidamente. Aunque, de un modo u otro, él tendrá siempre estas necesidades, no resultarán tan volátiles tras los primeros seis meses.

1. **Su necesidad de ser reconocido como alguien especial.** Esto significa ser apreciado no sólo como «un hombre» sino también de una forma personal. Harás bien en pensar en esta necesidad, en especial cuando conozcas a un nuevo hombre aunque, por supuesto, también después. La reacción visceral de este hombre será la de juzgarte de inmediato por el grado de individualidad que tú le confieras, por cuán distinto de los otros hombres le hagas sentir. A medida que el tiempo pase, esta necesidad adoptará otras formas, al igual que sucederá con el resto de sus necesi-

dades. Pero si no te ocupas de la misma desde el principio, no habrá un «más adelante».

2. Su necesidad de sentirse libre de cargas. Esto proviene del miedo irracional a tener demasiadas cargas. Quizás esto sea algo que también a ti te dé un poco de miedo, pero probablemente estar limitada o atada no te hará sentir el grado de paranoia que sienten la mayoría de los hombres. A medida que una relación progresa, esta necesidad se vuelve más pronunciada. Desde la infancia, tu hombre ha identificado «crecer y ser un hombre de verdad» con el derecho absoluto de controlar su propio tiempo, dinero y decisiones respecto a dónde va y con quién. Uno de sus grandes temores es que el compromiso le obligará a renunciar a todas las libertades masculinas que tanto esfuerzo le ha costado alcanzar. Necesita comprender que comprometerse contigo no significa la castración o el encarcelamiento. Puedes asegurarle que dar un paso adelante contigo no representa una amenaza para él y que, incluso con matrimonio y una familia, todavía puede sentirse relativamente libre de responsabilidades y seguir siendo libre —dentro de lo razonable, por supuesto.

3. Su necesidad de lealtad. Ésta es, indudablemente, una necesidad que tú comprendes y compartes. Al estar más en contacto con esta necesidad que tu hombre y no avergonzarte de ella, te ocupas mejor de la misma. El hecho es que él esté probablemente mucho más aterrorizado que tú por la posibilidad de ser traicionado. Debido a su Apariencia Masculina, siente que tiene que llevar el control para demostrar que es un hombre. La idea de que «su» mujer no esté plenamente de su lado lo debilita como hombre. La mayoría de los hombres le tienen miedo a la traición aun cuando no se esté produciendo.

4. Su necesidad de proximidad emocional. Esta necesidad es exactamente igual que la tuya; tanto es así que tu hombre quizá la considere una especie de problema, como una mancha en su masculinidad. Esta necesidad le parece una debilidad, una cualidad que le hace ser más femenino que masculino. Por supuesto, sabemos que no es así, pero su percepción puede significar un problema para ti. Aquí aparece de nuevo su Apariencia Masculina y lo complica todo. Para ti resulta fácil admitir que quieres intimidad, que deseas su afecto y su proximidad. Él quiere sentirse emocionalmente cerca de ti tanto como tú, pero le parece difícil, si no imposible, expresarlo. Lo más probable es que, cuando lo consiga, como alguien que emerge del desierto muriéndose de sed, sencillamente se lo trague como si fuese agua. Pero también se sentirá profundamente herido cuando sienta que falta esa proximidad.

Sencillamente recuerda que, como tú, tu hombre es perfecto en algunas cosas e inseguro en otras. Por encima de todo, no es un dios y lo sabe. En el mejor de los casos es una persona enérgica, responsable, afectuosa y con el plato bastante lleno. No es un producto acabado, sino un hombre que está en el proceso de crearse y descubrirse a sí mismo. Si las cosas salen bien, le ayudarás en este proceso. En el mejor de los casos, lo validarás de la forma más significativa posible, y él hará lo mismo por ti.

Examinemos las cuatro necesidades básicas del hombre. Verás de qué modo comprenderlas te ayudará a crear en tu hombre las reacciones viscerales que conducen al compromiso.

2

Veme como realmente soy, no sólo como finjo ser

La primera necesidad básica de tu hombre: el anhelo de ser especial

Te acaban de presentar a un hombre nuevo y guapo. Te preguntas qué piensa de ti. Quieres que te vea *sexy*, elegante e inteligente. El intento de causar la mejor impresión posible forma parte de la naturaleza humana. En el inicio de cualquier relación, te sorprenderás pensando excesivamente en la impresión que estás causando. ¿Eres lo bastante atractiva, culta y provienes de una familia lo bastante buena? Si las cosas van bien, más adelante dejarás de preocuparte tanto por estas cuestiones. Pero es natural querer empezar con buen pie. La mayoría de libros y artículos que has leído sobre las citas hacen hincapié, casi en exclusiva, sobre esta cuestión: qué puedes hacer para ser vista bajo la mejor luz posible.

Esto tiene sentido, pero no va demasiado lejos. Le otorga una importancia exagerada a una parte de la ecuación y se olvida de la otra parte, igualmente significativa. Cómo te ve este hombre es muy importante, por supuesto; no obstante, desde el primer momento, también él se está formando una idea de *cómo lo ves tú* y de si lo ves en modo alguno. Es fantástico que él te considere especial pero, a largo plazo, necesita que *tú* lo veas a *él* como a alguien especial y es necesario que también lo tengas en cuenta.

Su primera reacción visceral

La necesidad que tu hombre tiene de **ser reconocido como alguien especial** es la primera de sus cuatro necesidades básicas. Su Apariencia Masculina requiere una validación por tu parte. Por supuesto, quiere que tú veas que es todo aquello que se ha esforzado en ser: principalmente deseable y dueño del control. Pero percibe que hay muchas más cosas en él que sólo estas dos.

Si deseas ser diferente a todas las otras mujeres con las que ha salido, tendrás que ir más allá de su Apariencia Masculina. Esta imagen, en la que ha trabajado para mostrar al mundo, es realmente muy superficial. En sus esfuerzos por ser «un hombre», ha sumergido su individualidad. Necesita que tú detectes esa individualidad y que la saques a flote a fin de que él pueda verla mejor en sí mismo. Necesita que lo veas de una manera en la que él no siempre se ha atrevido a verse a sí mismo.

Para convertirte en *la* mujer de su vida, tendrás que aprender quién es más allá de los aspectos superficiales de su vida, tales como su edad, sus estudios y sus ingresos. Necesitarás apreciar a tu hombre por lo que realmente es.

Sabe que a veces duda de sí mismo y que ha vivido pequeñas mejoras, desilusiones y victorias, igual que tú. También como tú, a veces tiene miedo y se siente avergonzado. Se preocupa por lo que algunas personas en particular piensen de él, igual que tú. Algunas aventuras le dan miedo, pero de todos modos se lanza a ellas, como tú. En algunas ocasiones se aprovecharon de él, dio más de lo que recibió y se sintió como un tonto, sencillamente igual que tú. Sus imperfecciones forman parte de lo que le hace ser especial. **Él anhela a una mujer que acepte sus cualidades y sus debilidades: y que sepa más cosas sobre él que nadie más.**

Quizás estés pensando: «¿Cómo podría *no* verlo cualquier otra persona?» Tal vez su tono de voz sea más elevado, su presencia física sea más imponente, y quizá también tenga un perfil de trabajo superior al tuyo. En el sentido más superficial, tienes razón; tal vez ya es más visible que tú, pero en las cuestiones que cuentan, es una víctima de su propia Apariencia Masculina, de la actitud que la sociedad le exige. Debido a que durante tanto tiempo se le enseñó a reservarse para sí mismo su vida emocional, le resulta difícil sentirse verdaderamente comprendido en las cosas más importantes.

Después de todo, para los hombres, igual que para las mujeres, nuestra vida emocional —lo que realmente pensamos y sentimos, lo que nos preocupa y queremos— es la parte más importante de nosotros mismos. Por culpa de su Apariencia Masculina, tu hombre probablemente ha tenido que suprimir esa parte más importante de sí mismo, su verdadera individualidad. Por ello necesita que una mujer considere que es especial, que conozca lo que le gusta y le disgusta, lo que quiere y lo que teme.

Verle tal como verdaderamente es **y animarlo a revelarte su verdadero yo** te proporciona una gran oportunidad para establecer una conexión especial con tu hombre. Si logras ser la mujer que no sólo le permite ser real sino que además *quiere* saber lo que realmente es importante para él, le liberarás de una especie de encarcelamiento personal. Conseguirás de él una maravillosa reacción visceral.

A medida que la relación progrese, si animas a tu hombre a revelarte plenamente su yo, te convertirás en alguien especial para él. Se alegrará de haber encontrado por fin a una mujer que verdaderamente desea entenderle.

Si no lo haces, no importará lo atractiva que seas, cuánto lo admires o cuántas cosas hagas por él. Desarrollará una reacción visceral negativa hacia ti. Sentirá que no eres más que otra mujer que le reclama cosas y que no te importa quién es realmente.

A fin de conseguir que tu hombre se sienta especial, obviamente tendrás que hacerle hablar de él. Necesitas demostrarle tu interés, tu capacidad de saber escuchar y de no ser crítica. Actuando de este modo, le predispondrás a confiar en ti, y finalmente, a hacer que se sienta muy especial.

Trátale como a un igual

Por supuesto, es inapropiado rebajar a un hombre en las primeras fases de la relación. Los peligros de situarlo en un pedestal demasiado alto resultan menos obvios. Hacer cualquiera de las dos cosas es cometer el error de no verlo como realmente es. Hay muchas mujeres que, inadvertidamente, alejan a los hombres por admirarlos demasiado y actuar como si pudiesen dirigir una empresa, resolver problemas, sacar automóviles atascados en la nieve y llevar sus asuntos mucho mejor de lo que ellas gestionan los suyos.

Esto resulta insultante para ti y supone un terrible perjuicio para tu hombre. No es posible admirarlo hasta que lo conozcas y, si empiezas con una admiración excesiva, nunca llegarás a conocerlo. Lo estás forzando a refugiarse tras su Apariencia Masculina a fin de ocultar cualquier cosa sobre sí mismo que pudiera hacerle parecer débil o decepcionante ante ti. Sencillamente se atará más fuerte su camisa de fuerza masculina hasta que llegue alguna mujer que realmente quiera conocerlo.

Si realmente te gusta ese hombre y te sientes afortunada de que forme parte de tu vida, no lo pongas en un pedestal demasiado alto. Posiblemente has estado buscando a alguien como él durante mucho tiempo, y ahora está aquí, pero intenta no pensar en él como la realización de todos y cada uno de tus sueños sobre el futuro. El problema con este tipo de fantasía es que está relacionada *contigo* y no con el hombre. Sutilmente le irás transmitiendo que, en realidad, no estás interesada en él y que lo que más te importa es el papel que puede desempeñar en tu vida.

En la relación amorosa hay una pequeña parte de irrealidad, pero, especialmente antes de una primera cita —en particular si has oído cosas buenas sobre él o le has conocido ya brevemente y te parece maravilloso—, corres el riesgo de que la irrealidad sea demasiado grande. Tan pronto como te encuentres con él, concéntrate más en su *yo real* y menos en lo que podría significar para tu futuro.

Recuérdate, especialmente durante los primeros meses, que **está lejos de ser un dios, es sólo un ser humano**. Cuando llegues a conocerlo bien, no necesitarás este recordatorio frecuente. Cuando atraveséis vuestros altibajos juntos, la igualdad llegará de forma natural. Pero ahora mismo, aun cuando tengas que forzarte a pensar que es sólo una persona más y no el hombre a quien llevas esperando toda tu vida, merece la pena el intento. Por cierto, si a él le parece que tú eres la mujer de sus sueños, probablemente esté intentando vencer su propio nerviosismo.

Si percibe que lo consideras perfecto, querrá mantener esa imagen. No querrá decirte nada sobre sí mismo que pudiera darte la impresión de que tiene defectos; sin embargo, ésas son precisamente las cosas de las que necesita hablarte. Si lo tratas como a un igual, le otorgarás la libertad para salir de detrás de su Apariencia Masculina y hablarte de lo que realmente es importante.

Sé natural

Seguro que estás un poco nerviosa. Al inicio de una relación con un hombre que te gusta, y especialmente durante los primeros meses, las expectativas son muy grandes. Tienes derecho a estar nerviosa. Etiqueta tu tensión como *entusiasmo* por él y por la velada, no como miedo de no ser lo bastante buena para él. Si piensas de este modo, será más sencillo mantener las líneas de la comunicación abiertas.

En estos momentos, tu objetivo debería ser el de actuar con la mayor naturalidad posible; irónicamente, de la manera que actuarías si en realidad no te importase mucho lo que pensase de ti. **Cuanto más relajada te muestres, más cómodo se sentirá para revelarte su manera de ser.** Considerará que eres capaz de escuchar cualquier cosa que decida explicarte. No se sentirá presionado para decir cosas importantes o para dar una buena imagen de sí mismo. Por supuesto, es más fácil decirlo que hacerlo, pero tú *puedes* hacerlo.

Si se trata de una primera cita, un buen método para mantener el equilibrio consiste en decirte: «Sólo se trata de una noche de mi vida. Lo peor que puede pasar es que la malgaste». Este pensamiento también podrás utilizarlo más adelante. Recuérdate que tu objetivo es pasártelo bien. De hecho, da un paso más. Ayúdate a concentrarte en él comprendiendo que también *él* está a prueba contigo y no meramente *tú* con él.

Actuar con naturalidad, de la misma manera que ayer cuando estabas comiendo con una amiga tuya, significa, principalmente, no hacer cosas que parezcan maquinadas o artificiales, y jugar limpio. No hay razón para que le hables de tus amigos ricos o de tu hermano, el médico. No necesitas pedir ciertos platos de la carta sólo porque parezcan sofisticados. No tienes que mantener un tono de voz artificialmente suave ni que reírte como correspondería a una dama. Ser natural es el acto fundamental de confianza. El mayor cumplido para el inconsciente de tu hombre es que él es ese hombre especial que te hace sentir totalmente cómoda.

Sé positiva sobre ti misma y él será positivo sobre ti

Si eres una mujer especial, entonces él se sentirá especial en tu compañía. Cuando conoces a un hombre que te gusta verdaderamente, es humano preguntarte si tú eres la mujer que él quiere. Por supuesto que, en algunos momentos, tendrás tus dudas, pero debes hacer un gran esfuerzo para no decir nada malo sobre ti.

Tu atractivo no puede medirse por tus características individuales. Puedes ser más que la suma de tus distintas partes, si tú quieres. Lo que hace que seas más es la confianza, creer en ti misma de manera serena. No hacer ostentación ni rebajarte. Por ejemplo, explicar historias narcisistas sobre lo maravillosa que eres sería hacer ostentación. Actuar de este modo transmite una falta de confianza y, por lo general, hace que la gente sienta pena por ti; sin embargo, tampoco debes rebajarte nunca. Aun siendo la mujer más guapa y más lista del mundo, podrías dar al traste con el sentimiento del hombre de ser alguien especial a tu lado si te atacas a ti misma.

No especules sobre lo que habría sido mejor. Por ejemplo, con el tiempo, has hecho todo lo que estaba en tu mano para tener el mejor aspecto posible. Tal vez, en momentos en los que dudas de ti misma te sorprendas pensando: «Ojalá me hubiese vestido de otra manera» u «Ojalá lo hubiese planificado más» o «Me siento mal por no tener un trabajo mejor». Elimina ese tipo de pensamientos pues son negativos y no resultan productivos. Si tienes esos pensamientos, no los expreses con palabras.

No pidas disculpas por nada de tu vida. Si él visita tu piso, no te excuses por él. «Podía haber sido más espacioso, pero quería luz solar, de modo que...» No des explicaciones sobre la alfombra gastada que no puedes permitirte el lujo de reemplazar. Si él tiene estudios superiores y tú no fuiste a la universidad, no te justifiques por ello. O bien no hables sobre el tema o sencillamente di que tú no fuiste.

Indudablemente no digas, como hizo una paciente mía: «Sé que no tengo un cuerpo muy bonito, pero acabo de empezar un programa de ejercicio y ya estoy perdiendo peso». Evita las disculpas obvias y también las que se transmiten de forma más sutil. Toda duda acerca de uno mismo constituye una preocupación por uno mismo. Ocúpate de verle a *él* y no en hacer inventario de tus puntos débiles. Es lo mejor tanto para ti como para él. Si este hombre no te gustase, probablemente no te disculparías y entonces presentarías una mejor imagen, más natural. Si le gustas, ninguna de estas cosas que a ti te molestan sobre ti misma le importarán. Y si no le gustas, si es del tipo de hombres que te juzga basándose en elementos que tú no puedes controlar (al menos no en este momento), entonces él es un problema garantizado, no importa lo rico, guapo o pulido que sea.

Una gran ventaja de ser positiva contigo misma es que él te verá como a una persona que, en general, no es crítica y que es capaz de ser positiva con él, aun en el caso de ser imperfecto. Esto hará que se relaje mucho más para hablar de sí mismo y los dos podréis llegar al corazón emocional de la velada. Querrá contarte más cosas sobre sí mismo y descubrir más acerca de ti.

Habla positivamente también de otras personas, de los hombres en general y del mundo. No caigas en el patrón de menospreciar a la gente. Quizá hayas experimentado un fracaso en una o más relaciones amorosas y, ahora mismo, no confíes mucho en los hombres. Pero si lo manifiestas —por ejemplo, si hablas como si pensases que todos los hombres son infieles por naturaleza o los describes como si sólo les interesase el sexo, o como irresponsables— harás que ese hombre se ponga a la defensiva. Al fin y al cabo, él también es un hombre, de modo que ¿cómo puede ser especial? Por otra parte, si eres positiva y estás dispuesta a ver lo mejor de la gente, él se sentirá más optimista respecto a ser una persona muy especial para ti.

Esto es una relación amorosa: no una entrevista de trabajo

Recuerda que esto es una cita y no una entrevista de trabajo. Quizá te hayan dicho o de algún modo tengas la impresión de que la finalidad de una primera cita —o del primer mes— es la de intercambiar información biográfica. Aquí se incluiría la edad, a qué te dedicas profesionalmente, a qué colegio fuiste y hasta dónde llegaste, el lugar donde naciste y cuáles son tus planes futuros —la información estándar que tendrías que facilitar en tu currículum vitae si estuvieses buscando un empleo—. La verdad acallada es que la gente necesita conocer estos datos antes de decidir lo que siente por el otro.

Si las cosas van bien, este hombre querrá que gradualmente vayas sabiendo más cosas de él, pero no desea explicarte todo acerca de sí mismo de una vez.

Para mucha gente, el trueque de los respectivos currículums es la parte más difícil de la cita con una persona nueva. Probablemente no estés orgullosa en un cien por cien del tuyo y, si has tenido muchas citas, tal vez estés harta de exponer tu currículum aunque estés orgullosa de él. Si eres como la mayoría de las mujeres, existen unas pocas preguntas que te resultan embarazosas y que esperas que no te hagan. Te has esforzado por encontrar la mejor manera de responder a esas preguntas, pero ni siquiera dichas respuestas te satisfacen plenamente.

Tal vez, efectivamente, te hayas preguntado: «¿No sería fantástico si pudiese evitar todo este intercambio de datos al principio?» Si te gusta ese hombre y tú le gustas a él, con el tiempo le explicarás todo sobre ti, pero todavía no. Es de prever que cuando tenga una noción real de quién eres, será capaz de ver los hechos en perspectiva.

Por ejemplo, quieres que aprecie lo joven que eres física y mentalmente antes de decirle tu edad —que tienes cinco años más de lo que podría haber pensado—. Decírselo esta noche puede predisponerle en contra de ti y de ese modo nunca aceptará lo joven que realmente eres. De la misma manera, quieres tener la oportunidad de hablar con él como un igual antes de contarle que tienes un trabajo relativamente humilde. ¿Por qué proporcionar un currículum vitae a un hombre que no sabe prácticamente nada más sobre ti? Los datos pueden ser engañosos en sí mismos y, sin embargo, intercambiar información elemental antes incluso de que dos personas se conozcan mutuamente se ha convertido en algo demasiado habitual. Ésta es una de las razones por las que las citas resultan tan difíciles.

Él siente lo mismo. También tiene sus propias preguntas embarazosas y, como tú, ha ensayado de qué modo contestarlas airosamente —y en ocasiones, elusivamente—. Igual que tú, apreciaría no tener que presentarte un informe detallado inicial. Como tú, quiere causarte una impresión más espiritual y romántica de lo que podría transmitirte cualquier currículum. **Quiere que lo veas como realmente es y no como aparece en un papel.**

Esta noche, si todavía se trata de una de las primeras citas de la relación, probablemente quiere que disfrutes de su Apariencia Masculina. Le gustaría que lo considerases capaz, enérgico y exitoso, y posiblemente es así como lo ves. Por otra parte, probablemente todavía no esté preparado para explicarte algunas cosas sobre sí mismo que siente que podrían perjudicar sus posibilidades o, cuando menos, dar una mala imagen. Por supuesto que tienes derecho a preguntarle si está casado o si mantiene una relación en la actualidad, pero tal vez haya estado casado dos veces y quiera que lo conozcas mejor antes de decírtelo. Quizá trabaje para alguien pero desee tener su propio negocio. O tal vez el coche con el que llegó pertenece a su hermano. Quizás a ti no te importen estas cosas, pero a él sí. Como tú, no quiere mentir, pero tampoco quiere decírtelo todo todavía. Se deshará de su Apariencia Masculina poco a poco, a medida que se sienta capaz de hacerlo.

Esto no debería constituir un problema para ti. No necesitas saberlo todo sobre él de inmediato. Como cualquier persona que haya estado enamorada te diría, los sentimientos no dependen de los currículums. Curiosamente, **la mejor manera de iniciar una relación amorosa perdurable consiste en *no* pedir datos estadísticos vitales.** Anímale a que te explique lo que realmente quiere que sepas permaneciendo alejada de los hechos difíciles. Permítele saber desde el principio que estás lista para verlo como realmente es. No compartas la aceptada creencia de que tienes que intercambiar información vital para poder empezar una relación.

Cuando no buscas este tipo de información, transmites el siguiente mensaje: «No necesito hechos para decidir lo que realmente siento por ti. Eres especial para mí, independientemente de tu pasado». Esto es halagador y, por cierto, un mensaje muy atractivo. Es la mejor manera de obtener una buena relación visceral al principio de la relación. Si resulta que el hombre es un millonario, siempre sabrá que la química existía antes de que tú lo descubrieses. Siempre recordará que primero lo viste como un hombre y que te gustó lo que viste.

Recuerda que una relación visceral es un sentimiento inconsciente que, en realidad, él es incapaz de describir. Si le presionas para que te dé sus credenciales, su mente vagará hasta verse volviendo a casa, tomando una ducha y viendo un partido en la tele. Obviamente, no es ésa la reacción visceral que quieres. Confía en que, si os gustáis mutuamente, la información llegará. Tal como veremos a continuación, existen muchas preguntas que puedes hacer para que las cosas sigan adelante. Estas preguntas le dirán a tu hombre que es especial para ti y que quieres verlo como realmente es.

Las preguntas apropiadas

Las preguntas apropiadas le animarán a hablar. Le invitarán a pensar «espero que esto vaya más lejos». Éstas son preguntas que demuestran tu deseo de conocer su verdadera manera de ser.

Preguntarle su opinión, o hacer que te diga cómo se *siente* respecto a distintas cosas funcionará. Con esto en mente, tu repertorio de preguntas es ilimitado. Por ejemplo, pregúntale cómo se siente respecto al colegio al que fue, cuál es su música favorita, si le gusta su trabajo, qué le parece la ciudad en la que nació; pregunta también por su infancia, por la política o por una película.

A medida que hable, te abrirá la puerta para formular otras preguntas relacionadas con lo que las cosas *significan* para él, cómo se *siente.* «¿Qué te impulsó a hacerte abogado?» «¿Te gustó criarte siendo parte de una familia numerosa?» «¿Echas de menos vivir en Springfield?» «¿Disfrutas teniendo que hacer tantos viajes por tu trabajo o te resulta duro?» Cualquier pregunta que le invite a explayarse sobre cómo se siente respecto a lo que te acaba de explicar es apta como intento de *conocer cómo es realmente.* Obtendrás reacciones viscerales maravillosas porque le estarás demostrando que verdaderamente quieres conocerlo —y no conocer su currículum, sino quién es de verdad y qué significan las cosas para él.

Al hacerle preguntas de este tipo le estás ayudando a emerger como individuo. Le estás dando una oportunidad que los hombres no consiguen a menudo en su vida. Recuerda que lo que normalmente se espera de él es que sea fuerte, callado y que evite hablar sobre trivialidades, pero tú le estás ofreciendo la libertad para hacer precisamente eso.

No todas las preguntas que le hagas tienen que revelar cómo es, por supuesto. Puedes ser tan banal como quieras. Si te apetece, puedes preguntarle si tiene un segundo nombre. Obviamente, no estás intentando calibrar lo bien que funcionará como marido haciéndole esa pregunta, excepto en el sentido de que, si es capaz de reírse contigo y divertirse con la respuesta, habrás establecido un pequeño vínculo. Recuerda: la clave consiste en hacer o bien preguntas divertidas o bien preguntas que le inviten a revelar cómo es personalmente. Evita las preguntas diseñadas para medir su condición social en el mundo o que te ayudarían a evaluar de qué manera podría contribuir si los dos empezaseis una relación amorosa o, efectivamente, os casaseis.

Pongamos que él te dice que decidió ser abogado después de ver una película en la que Paul Newman hacía el papel de un abogado que se encargaba de un caso importante. Compara estas dos preguntas de evaluación: «¿Eres socio del gabinete? ¿Esperas convertirte en socio pronto?» con las dos preguntas siguientes: «¿Con qué tipo de casos disfrutas más?» Y, cuando después de pensarlo un poco, te responde: «Con los casos criminales». Tú le preguntas: «¿Por qué?» Quizá, tras pensarlo unos momentos, te diga: «Es curioso. Empecé con muchos casos de divorcio y creo que los llevé bien, pero en el fondo presentan más violencia que muchos de los casos criminales que surgen. Supongo que la gente no puede librarse de su ego durante el divorcio...» Está compartiendo contigo una verdad profunda, que tal vez esté en proceso de descubrir. Podría tratarse de un momento muy personal y especial.

Permite que tome las riendas de la conversación siempre que quiera y tú haz lo mismo. Tal vez fanfarroneará y quizás esté justificado. Te dirá que obtuvo una gran prima y que en el trabajo están muy contentos con él. Mientras sea él quien saque el tema, adelante. Pero, de nuevo, permanece alejada de los datos puros y duros. No le preguntes la cuantía de la prima. En lugar de ello, disfruta con él del hecho de que en su trabajo estén satisfechos con él y de que lo hizo bien. «¿Quién lo decidió? ¿Sabías que te la iban a dar?» Preguntas de este tipo demuestran que estás interesada en el proceso, interesada en él.

Si lo piensas bien, casi siempre es posible discernir entre las preguntas ligeras que pueden resultar divertidas y aquellas cuyo objetivo es obtener datos disimuladamente. Las preguntas destinadas a obtener datos provocan una reacción visceral negativa porque, instintivamente, el hombre sabe que lo que estás examinando son sus datos y no a él. Por ejemplo, si crees en la astrología, puedes preguntarle: «¿En qué *día* del año naciste?», pero si le preguntas: «¿Cuál es tu *fecha de nacimiento*?» podrías fácilmente estar cumpliendo una misión de búsqueda de datos para determinar su edad, a fin de juzgar su elegibilidad como posible marido. Las dos preguntas provocarán en él reacciones viscerales muy distintas. En el primer caso, sabrá que realmente estás intentando verlo a él y que eres capaz de escuchar; en el segundo, estás intentando ver cómo se sitúa en la carrera de las edades.

Poco después de su divorcio, mi paciente Justin, un analista de mercado con mucho éxito, estaba ansioso por conocer a una mujer. A Justin le había gustado la vida de casado y anhelaba conectar rápidamente con alguien para entablar una relación duradera. Me preocupó que fuese demasiado pronto, pues Justin no estaba en el mejor estado para juzgarlo por sí mismo y, además, era más bien tímido. Temí que se casase con la primera mujer con la que saliese a cenar, pero las dos primeras mujeres con las que salió fueron tan fisgonas con sus preguntas que Justin recobró el juicio rápidamente. Llevó a Ellen, a quien había conocido a través de unos amigos, a un restaurante muy elegante. Ella no apreció ni la comida, ni la decoración, ni ninguna otra cosa de la velada. De hecho, se quejó de que la carta resultaba demasiado difícil de leer: «Demasiadas palabras extranjeras». Le preguntó si él comía siempre en «restaurantes caros como éste» y cuando él le dijo que la comida y los buenos restaurantes formaban parte de sus pasiones, ella empezó a hacerle preguntas de índole económico que fueron haciéndose más y más directas a medida que Justin las iba evitando.

A la siguiente mujer, Lisa, Justin le explicó voluntariamente que echaba de menos vivir con sus dos hijos. Lisa no se interesó en absoluto en proseguir con esa cuestión emocional, lo cual fue un error, pues Justin se moría por hablar con una mujer de lo mucho que amaba y echaba de menos a sus hijos. Sin embargo, cuando mencionó que echaba de menos su casa, que había construido hacía sólo cinco años, Lisa siguió la conversación con mucho interés. Le hizo algunas preguntas orientadas obviamente a estimar su valor. Cuando comprendió que era enorme, perdió totalmente el control. «¿Cuántos metros cuadrados tiene exactamente?», le preguntó. Justin se lo dijo sin pararse a pensar en la pregunta. «¿Tenías suficiente mobiliario para amueblar ese espacio?, ¿dónde lo compraste?» Justin evitó estas preguntas y se sintió muy presionado. La gota que colmó el vaso llegó cuando Justin le sugirió que compartiesen un plato de pasta como segundo aperitivo. «Yo no sé nada de pasta», le espetó Lisa zanjando bruscamente la cuestión.

Justin tuvo dos experiencias extremas en las que fue visto más como una mercancía que como una persona. Había escogido buenos restaurantes no para hacer ostentación de su dinero sino para compartir una experiencia con Ellen y Lisa que él mismo disfrutase. Quería divertirse y esperaba encontrar a alguien que compartiese sus intereses. En lugar de ello lo que encontró fue indiferencia y rechazo hacia su persona como individuo.

Por supuesto, también puedes hablar de tu vida. También tú tienes una necesidad de ser reconocida y quizá disfrutes hablándole selectivamente de tu pasado. Pero sólo si demuestra interés en ti como persona. Si no lo demuestra, entonces es un problema. Ten cuidado con el impulso de acaparar su atención vendiéndote. Si parece aburrido contigo, repliégate. Nadie te ha asignado el trabajo de llenar cada silencio y de entretener a una piedra.

Tampoco deberías ceder ante un hombre que está obsesionado por obtener tu currículum. Es innecesario decir que no hay razón por la que tengas que explicarle a ningún hombre más de lo que tú quieres divulgar. Tras pasar unas primeras horas juntos, la mayoría de los hombres ya saben lo bastante como para no hacer abiertamente preguntas molestas tales como la edad que tienes o el dinero que ganas. Si te hacen una pregunta incómoda demasiado pronto (e incluso la cuarta cita puede ser demasiado pronto), tienes todo el derecho a no contestarla. «Preferiría no pensar en mi edad ahora mismo.» Hazlo de forma despreocupada y cualquier hombre sensible dejará de lado el tema.

Si un hombre te presiona para obtener demasiados datos puros y duros antes de que los dos hayáis podido conectar verdaderamente, tienes derecho a preguntarle: «¿Por qué son estos datos tan importantes para ti?» Entonces, si te acusa de no responder a su pregunta (una defensa común utilizada por la gente fisgona), puedes decirle que él tampoco ha contestado a la tuya. Hazle saber que lo que a ti te importa es la esencia y no los datos.

Cabe la posibilidad de que quieras contestar a algunas de sus preguntas para extraer información, si te parece que tienen sentido. Quizás esté buscando un piso en tu vecindario y te sientas cómoda diciéndole: «Pagué ciento sesenta mil dólares por este piso hace dos años». O si te ha explicado muchas cosas sobre sí mismo, quizá te apetezca explicarle: «Estuve casada durante cuatro años y hace tres que me divorcié».

Pero decide si contestar la pregunta te hace sentir más próxima a él o si te hace estar más en guardia. Ser natural, hablar sobre sentimientos, intercambiar actitudes y opiniones, con algunos datos de por medio, brindará a la cita un vigor y una sexualidad que no serán posibles si durante la misma se ha hecho un inventario excesivo. Piensa en esta noche como algo completo en sí mismo, no como una mera preparación. Transmítele un interés verdadero en él como persona y querrá que sepas más cosas sobre él.

Permanece en el aquí y el ahora

La mejor manera de hacerle sentir especial, y de que tú te sientas especial, consiste en transmitirle que este rato que pasas con él ocupa enteramente tu mente. No necesitas pensar en el pasado, el presente o el futuro. Éste es el tiempo que cuenta y resulta ser un tiempo que pasáis juntos.

Este tipo de inmediatez te hace todo lo excitante, seductora e inolvidable que puedes ser. Nada es más intrigante que este momento y tú resultarás fascinante si permaneces en él. Piensa en cualquier gran experiencia que hayas tenido, ya sea una película, un acontecimiento deportivo, una fiesta a la que acudiste o un encuentro sexual. Mientras estaba aconteciendo olvidaste cualquier cosa que hubiese tenido lugar anteriormente y tampoco pensabas en el futuro. Estabas plenamente inmersa en la experiencia y, después, la recordaste como un momento culminante.

Siéntete acaparada por el momento con este hombre especial. Mira a tu alrededor y tendrás muchas cosas de las que hablar. **Habla sobre aquello que resulta importante para ti** en la vida en este momento o en este lugar y él hablará de las cosas que son importantes para él ahora mismo. Se sentirá a gusto contigo y querrá verte otra vez. Nada es demasiado trivial si se te ha ocurrido a ti. Si estás en un restaurante mexicano y te encantan sus colores y su diseño, dilo. Si hace frío fuera y de repente se te ocurre una historia divertida sobre un viaje que hiciste para practicar el esquí, explícasela aunque se produjese hace años. Si estás envuelta en un gran proyecto laboral y crees que puede ser interesante, menciónalo.

Permite que el tema vaya por donde quiera ir. Puedes hablar sobre casi cualquiera de las cosas de las que hablarías si estuvieses con un viejo amigo, siempre que no sea un tema demasiado personal o demasiado pesado. Es probable que los acontecimientos recientes sean los que ocupen la primera fila de tu conciencia. Esto significa que puedes hablar de ellos con una frescura y un vigor que resultarán muy atractivos. Cuanto más abierta seas, más abierto será él; de modo que no te censures a ti misma. Menciona casi cualquier cosa que pudieras explicarle a un viejo amigo. Arriésgate y él también lo hará. Cuando la gente está dispuesta a arriesgarse es cuando empiezan las relaciones amorosas.

Durante una fiesta, Alexandra, una estudiante universitaria, empezó a hablar con un chico sobre los pros y los contras de las asociaciones femeninas estudiantiles. Admitió que se sentía desbordada por las obligaciones de la asociación y que estaba empezando a desear no haberse metido en una de ellas. Durante un instante sintió que le había contado demasiado a un extraño.

Pero, entonces, el joven empezó a hablar animadamente y dijo que a él realmente no le gustaba el examen al que se veía sometido por su hermandad. No se había sentido con libertad para explicarle esto a nadie, ni hombre ni mujer, para confesar que no era una persona a la que le gustasen los grupos. La naturalidad de Alexandra lo había liberado para revelarse a sí mismo. Pasaron una maravillosa media hora y acabó invitándola a su baile de gala. Si Alexandra no hubiese sido tan amigable, él podría no haber manifestado jamás este fuerte sentimiento. Había provocado en él una fantástica reacción visceral: el joven podía anticipar que el tiempo que pasase con ella sería sincero, fácil y divertido.

Sé espontánea y este hombre sabrá que es lo bastante especial para que le brindes tu lado más natural. No cometas el error de esperar a saber cómo es realmente antes de ofrecerte a revelar cómo eres tú. Yo le diría lo mismo a él. Si se opone a las cosas en las que tú realmente crees y no le gusta quién eres de verdad, de todos modos no tendrás ningún futuro con él.

No reprimas tantas cosas hasta el punto de acabar sintiéndote artificial y nerviosa. Si te gusta la ópera pero temes que piense que resulta pretencioso por tu parte, lo peor que puedes hacer es ocultar tu amor por la ópera. Después, te sentirás como si tu afición fuese un pequeño y sucio secreto. Si te dice que a él no le gustan los animales, dile que a ti te encantan los perros, si es el caso. No sería buena idea invitarlo a casa y que se lleve una sorpresa con la presencia de tu mejor amigo. Si le resultas demasiado pasional o efusiva, o demasiado involucrada en lo que él considera las pequeñas cosas de la vida —cómo se siente la gente o las relaciones—, también deberías saberlo.

Probablemente estará encantado de ser capaz de empezar a liberarse de su Apariencia Masculina contigo. Puede que le deleite tu amor por el detalle, la riqueza de lo que realmente sucede en tu mente y tus sentimientos. Percibirá que conociéndote mejor se está brindando a sí mismo una oportunidad para la conexión que tal vez echaba de menos en su vida. Llora cuando veas una película si tienes ganas de hacerlo. Ríete de lo que te parezca gracioso. Te sentirás gratamente sorprendida porque, aun cuando él no se ría o llore por las mismas cosas, se sentirá atraído por tu profundidad.

Si actúas con naturalidad y no estás en guardia, encontrarás infinidad de temas que resulten emocionalmente significativos para los dos: criar a los hijos, tu equipo de béisbol favorito, el tenis, el trabajo, los amigos que tenéis en común, el mendigo que se os acaba de acercar para pediros cincuenta céntimos. Cualquier cosa que te haga sentir algo es susceptible de ser un buen tema. Permite que los temas cambien con rapidez; esto puede hacer que la velada resulte divertida. Cuando eras una niña pequeña y jugabas con una amiga, lo sabías de un modo instintivo; en esta cita es tan válido como entonces.

Los silencios, en sí mismos, pueden ser perfectamente naturales. Todo hombre necesita pausas ocasionales en la conversación para digerir y procesar la experiencia de la velada contigo. Tú también las necesitas. Si estás tensa, te puede parecer que si él no dice nada significa que está pasando un rato horrible contigo o que se está arrepintiendo. O que tú misma debes de parecer una perdedora porque no tienes nada que decir. Todo lo contrario. Los silencios entre dos personas pueden ser la evidencia de una gran comodidad y permisividad. No seas una rompedora de silencios automática. Siéntete tan libre con los silencios como te sientes con las conversaciones y con la expresión de los sentimientos. Los silencios forman parte del flujo.

Demuéstrale que puedes identificarte con él

Ser capaz de identificarte con él es la prueba definitiva de que es especial para ti. Demuestras tu capacidad para apreciar mucho más de él: las partes de sí mismo que todavía no te ha revelado.

Intenta comunicarle lo siguiente: «Te veo y sé lo que sientes, y me importa». Identificarte con alguien —un niño, un padre, un miembro de una minoría oprimida, un animal doméstico— es ver el mundo a través de sus ojos. Lo primero que desaparece cuando alguien no te gusta es la capacidad de identificarte con él, de disfrutar con su placer y sufrir su dolor con él. Si básicamente no puedes soportar a los hombres en estos momentos, te resultará difícil identificarte con este nuevo hombre y, si él tiene algo de intuición, lo percibirá. Si ahora no ves a los hombres con buenos ojos, ten especial cuidado con las afirmaciones negativas. Éste podría ser el hombre capaz de hacerte cambiar de opinión; de modo que no estropees las cosas desquitándote con él por agravios del pasado. Si te gusta, y te gustan los hombres en general, sabrás lo que está sintiendo, al menos en algunos momentos. Cuando te diga que estuvo atrapado en un atasco de tráfico durante dos horas, te estremecerás. Cuando llegue su ascenso, te sentirás feliz por él automáticamente.

Incluso en tu primera cita, e indudablemente durante tu primer mes con él, puedes demostrarle tu capacidad para ver la vida a través de sus ojos. Puedes transmitirle que estás en resonancia emocional con lo que dice sobre sí mismo.

Por ejemplo, te habla sobre una situación delicada en la que se ha visto envuelto; tal vez sea que recientemente le ha dolido que un amigo íntimo le haya pedido un importante préstamo. No le des únicamente un consejo, eso significaría apartarse de cualquier identificación. **Sencillamente experimenta el momento con él.** «Hombre, eso te debió de colocar en una posición muy difícil.» Después, pregúntale qué es lo que decidió y por qué. Tendrás muchas oportunidades de demostrarle que sabes cómo se siente. No es posible conectar con un hombre a menos que primero te identifiques con él.

En algunas ocasiones te identificarás con él sin palabras, como sencillamente abriendo la puerta del coche al ver que él se acerca por el otro lado. Mediante ese pequeño acto, transmites un sentido de lo que él necesita. Haces lo mismo cuando le das las gracias por la cena si es él quien ha pagado. No estás simplemente apreciando el dinero que se ha gastado; estás diciendo que valoras que haya pensado en ti y en lo que podrías querer.

Peter, un joven arquitecto, era paciente mío. Tuvo que trasladarse a Nueva York dos años antes de que yo lo visitase y había salido con una serie de mujeres. Sin embargo, había roto una relación tras otra, por lo general bastante al principio, pues sentía que no podía conectar. Una de las razones por las que vino a verme fue para descubrir qué es lo que no había funcionado. Entonces conoció a Jamie, una mujer que tenía una empatía natural y que era una maestra en la identificación con los demás. Peter no había reparado en que ella tuviese esta característica, pero su reacción visceral hacia Jamie era profundamente positiva. Tras varias citas con ella me dijo: «Por fin he conocido a una gran mujer».

En su segunda cita, Jamie había mencionado que le encantaba el ballet. Peter, que nunca había ido a una función de ballet, la sorprendió con unas entradas. Después me explicó que, pese a que a él sólo le había gustado un poco, le había encantado ver lo entusiasmada que ella estaba. No obstante, lo que más le emocionó fue que ella le diese las gracias por probar algo nuevo, únicamente porque ella quería ir. «En realidad me dio las gracias por haber hecho cola para obtener las entradas», explicó Peter. Jamie le había dicho: «Apuesto a que estuviste allí por lo menos una hora». Efectivamente, así había sido y el comentario lo conmovió.

Jamie prácticamente le había hecho saber a Peter que le había «visto» de pie en la cola, igual que podría haber visto a una amiga íntima suya hacer lo mismo. Se había identificado con él y había conseguido que él se sintiese especial.

Durante sus primeras citas, Jamie dejó claro que también se identificaba con Peter de otras maneras. Percibió que Peter se había pasado unos cuantos años trabajando demasiado duramente: estudiando arquitectura y después ascendiendo en la empresa. Peter se sintió muy emocionado por el hecho de que ella comprendiese lo solo que estaba en Nueva York y le presentase a sus amigos íntimos. Otras mujeres a las que había conocido no se habían percatado de nada de esto y no habían hecho nada para que dejara de sentirse solo. A través de muchos de sus actos, Jamie le comunicó: «Te veo en detalle y me importa lo que veo».

La capacidad —y disposición— de ver a tu nuevo hombre como un individuo es primordial porque no puedes amar a alguien verdaderamente a menos que sepas quién es en realidad. Puedes estar locamente enamorada de una estrella de cine, pero el hombre de tu vida quiere más; o sin lugar a dudas, querrá más si es que la relación va a perdurar. Hay más hombres que rompen sus relaciones porque sienten que «no me ve verdaderamente» que por cualquier otra razón. Los hombres siguen enamorados y permanecen fieles —pese a los baches en el camino por los que todas las relaciones tienen que pasar— cuando saben que «la mujer que amo me ve y me ama como nadie más puede hacerlo o lo hará jamás».

Una relación debería ser divertida; cuando empieces a ver la tuya de esta manera, significará que estás en el camino para obtener la mejor reacción visceral de tu hombre. El mejor medio para hacer que una relación sea divertida consiste en aprender sobre el otro de una manera natural, no intercambiando currículums sino descubriendo los verdaderos gustos y aversiones del otro. Una vez que tu hombre vea que piensas que él es especial, empezará a deshacerse de su Apariencia Masculina y se sentirá tan libre contigo como con cualquier otra persona de su vida. Sólo entonces empezará a considerarte también a ti como a alguien especial, como a una compañera de por vida y no sólo como a una cita.

3

Mantener las cosas ligeras cuando te empiece a importar

La segunda necesidad básica de tu hombre: sentirse libre de cargas

Casi desde el primer día empezaste a imaginar lo que sería la vida con tu hombre. Esperabas ilusionada un cambio. Estar con él te aportaría nuevas y positivas experiencias: decidiríais dónde vivir, quizá viajaríais juntos, tal vez empezaríais a pensar en los niños. Unirías a tu familia con la suya.

Pero cuanto más en serio se toma tu hombre el compromiso contigo, más piensa en otro tipo de cosas. Mientras tú estás pensando en los cambios, él está preocupándose por la preservación.

Sabes que tu hombre tiene problemas con el compromiso, pero quizá no hayas pensado que se trate de una necesidad neurótica de conservación. Pensamos que los hombres son aventureros y que las mujeres, en cambio, guardan los álbumes de recortes, y aprecian la continuidad y lo predecible. **Pero, efectivamente, a los hombres les aterroriza el cambio en su estilo de vida**. Muchas mujeres infravaloran la profundidad de este problema. Llegan demasiado rápidamente a la conclusión de que si no se puede comprometer es porque es inmaduro. Ven las cosas de un modo demasiado simplista. Imaginan que su hombre tiene miedo al matrimonio porque se verá forzado a renunciar a otras mujeres o porque estará atado —gastando todo su dinero en pañales y coches familiares y no siendo capaz de ver nunca a sus amigos el fin de semana.

Estas preocupaciones pueden tener alguna relevancia en tu hombre, pero sólo son síntomas. La dificultad es mucho más profunda. A causa de su Apariencia Masculina, tu hombre ve su libertad como algo que ha obtenido muy duramente y como medida de su virilidad. Siente que su masculinidad depende del hecho de permanecer libre de cargas. Para él, renunciar completamente a su estilo de vida actual por una mujer puede suponer su peor pesadilla. Se imagina más y más cambios hasta que no quede nada de él.

Sentirse relativamente libre de responsabilidades, ser un hombre de verdad que pueda hacer lo que quiera sin tener que dar explicaciones a nadie, resulta esencial para su virilidad.

Es muy probable que considere a las mujeres, en este caso a *ti*, una amenaza a su independencia. Por muy insultante que suene, y *sea*, tienes que ayudarle a apreciar que casarse contigo no es una trampa.

Pongamos que has estado viendo a tu hombre durante un tiempo y que entre vosotros existe una química verdadera. Es probable que tu hombre ya se esté preguntando si está cambiando el «yo» por el «nosotros» más rápidamente de lo que desearía. Incluso las pocas cosas de «pareja» que quieres que haga pueden darle miedo, como si fuesen las precursoras de una toma del poder total. Podría tratarse de algo tan simple como hacerte saber a principios de semana si le gustaría salir el sábado por la noche. Conscientemente, sabe que es una pregunta razonable, pero, inconscientemente, siente una exigencia sobre él que puede imaginarse creciendo y aplastándolo, castrándolo.

¿Es esto irracional? Por supuesto. Tú tampoco quieres sentirte agobiada. No quieres a un hombre que sea excesivamente celoso o que te pida que le des explicaciones sobre cada minuto de tu tiempo o por cada céntimo que hayas gastado. Pero tu idea del agobio está mucho más dentro de los límites de la razón.

Comprendes que toda relación seria conlleva la renuncia de una parte de libertad. Si tienes que llevar en coche a su hermana pequeña o a su madre a algún lugar, no sientes que seas una prisionera de guerra que quizá no recupere jamás su libertad. Tu tiempo es igual de importante que el suyo, pero probablemente tienes más flexibilidad emocional y estás más dispuesta a utilizarla a fin de construir relaciones significativas. Para tu hombre, cualquier entrega de su libertad, por muy breve que sea, es susceptible de hacerle sentir que está perdiendo el control de su vida. Debido a su Apariencia Masculina, sufre un miedo exagerado a ser encarcelado y tiene una hipersensibilidad a la pérdida de libertad, como si toda su virilidad estribase en permanecer libre y en resistir las demandas.

La necesidad de sentirse libre de cargas de los hombres es excesiva y simbólica. La Apariencia Masculina de tu hombre, *su necesidad de verse a sí mismo como a un agente libre*, oscila entre la inhibición y la incapacidad. Los hombres quieren relaciones perdurables tanto como las mujeres. Casi todo hombre que mira hacia atrás, hacia una vida solitaria y sin un amor constante se siente increíblemente triste y decepcionado. Lo que, en todos los casos, hace que los hombres permanezcan solteros —y esto significa, en el caso de tu hombre— no es la falta de amor sino un miedo exagerado al confinamiento, lo que puede ser su peor tragedia.

Veamos con detenimiento qué significa realmente sentirse libre de cargas para tu hombre, por qué sustenta esta ilusión tan preciosa que puede crear o romper una relación amorosa.

Sentirse libre de cargas: la masculinidad que se ha vuelto loca

Para tu hombre, sentirse libre de responsabilidades (en una relación) implica una vida en la que muy pocas demandas personales recaen sobre él; esto es, hacer casi todo lo que quiere. Espera algunas restricciones, por supuesto; sabe que una vez que esté contigo no podrá dormir con otras mujeres. Y obviamente, no puede tiranizarte; ni tampoco querrá hacerlo, si es que merece tu tiempo. Pero en su fantasía, todavía se aferra a una imagen de la que tú te desprendiste hace muchos años: la fantasía de una vida en la que todo está permitido. Pocos hombres han superado por completo el sueño de ser completamente libres, de contar con un tiempo ilimitado para sí mismos, de no deber nada a nadie.

No importa que, de hecho, vivir esta fantasía no le haría feliz, que todos queremos que las personas amadas esperen cosas de nosotros. La fantasía de sentirse libre de responsabilidades tarda mucho tiempo en desaparecer en los hombres y no se elimina nunca por completo. Tiende a ser mucho más fuerte en los hombres que en las mujeres debido a la educación recibida, a la Apariencia Masculina.

En la juventud, mientras tu hombre estaba aprendiendo todas esas otras fastidiosas características «viriles» —no demostrar, por ejemplo, sus emociones e ignorar las pequeñas «cosas» de la vida— estaba dando forma a su concepción de héroe y a lo que él quería ser. Un héroe, había aprendido, se arriesga sólo, sin guía y no le da explicaciones a nadie. Algunas versiones de este mito heroico han inspirado a los hombres desde siempre. Tu hombre ha renunciado a su visión de sí mismo como un gran hombre de estado, un atleta o un científico, lentamente, pero nunca ha abandonado del todo su Apariencia Masculina, en la que es un tipo de héroe, un espíritu libre que no necesita de nadie. Hasta cierto punto, todo hombre tiene miedo a ser devorado. Incluso las preguntas razonables sobre su tiempo pueden evocar una imagen de ti como una carcelera en lugar de como una amante.

Bajo esa apariencia, tu hombre desea estabilidad: un hogar caluroso y atractivo que siempre esté ahí para él, pero su identidad de hombre libre, de hombre que viaja ligero, hace que sea cauto. Su conflicto sobre si «¿Debería casarme?» es realmente un conflicto sobre cómo conciliar su identidad masculina de libertad con el amor y con lo que éste implica. Los problemas no resueltos en este campo son una de las grandes razones por las que los hombres padecen claustrofobia, por las que tan frecuentemente se les acusa de tener fobia al compromiso.

Especialmente en la primera fase de la relación, **tu hombre estará alerta para ver los signos de lo que permitirá una vida contigo:** ¿podrá seguir invitando a sus amigos a ver las finales de baloncesto de la NCAA en las que compite su universidad? ¿Cuánto tiempo se verá forzado a pasar con esos amigos tuyos que le resultan tan aburridos? ¿Cuánta información tendrá que darte sobre el tiempo que pasa sin ti? Interpreta las respuestas como signos que le indican si su libertad continuará o se extinguirá en caso de comprometerse contigo.

Compara su sueño de una relación amorosa con el tuyo. El primer hombre con el que te imaginaste que te casarías de niña era guapo, amable. Tenía éxito y probablemente era firme. Su decisión más maravillosa era su amor por ti. Incluso de niña, tal vez pensaste en hacer cosas junto a este hombre, quizá pensaste en una relación en la que prácticamente os podíais leer la mente el uno al otro. En tu fantasía, la intimidad y el afecto mutuo se expresaban mediante actividades compartidas, tales como tener invitados en casa o planear unas vacaciones.

Basabas tu fantasía de una relación en lo mejor que habías presenciado durante tu niñez. Si cuando eras una niña viste a una pareja en el supermercado que cooperaba, te imaginaste a ti misma en la tienda con el hombre que se convertiría en tu marido. Él empujaría el carro y tú irías depositando los productos en su interior. O tú empujarías el cochecito del bebé con él a tu lado. Incluso te imaginaste con él durante alguna emergencia, posiblemente permaneciendo levantados y juntos por la noche para atender a un niño enfermo. Si fuiste afortunada, los adultos que inspiraron este sueño fueron tus propios padres.

Sin embargo, independientemente del tipo de padres que tu hombre haya tenido, casi con toda seguridad no tuvo este tipo de fantasías. Aun cuando sus padres representaran el modelo perfecto de la cooperación, él visualizaba esa imagen de «héroe» —*estar él solo*— mucho más que la imagen de crear un hogar. Fantaseaba sobre el amor y el sexo con una mujer, pero probablemente mucho menos sobre hacer otras cosas con ella; en su fantasía, ella estaba simplemente *ahí* cuando la necesitaba. Igual sucedía con los niños de su fantasía; eran inteligentes y guapos, pero eso era todo. Él no se imaginaba compartiendo actividades ni afrontando las realidades domésticas, como hacías tú. Su sueño consistía en que él estaba solo y tú, la mujer, estabas disponible y eras cariñosa.

En la primera época de vuestras citas, todo es exactamente como tu hombre lo había imaginado. *Obtiene* su fantasía: la de una mujer que está disponible, consagrada a él y que requiere pocos sacrificios. Tal y como sucedía en su fantasía, no tiene que cambiar nada en sí mismo ni limitarse especialmente. Todavía no tiene problemas por no llamarte con tanta frecuencia como tú desearías. Todavía no está compartiendo una casa contigo y no hay niños en los que pensar. Está disfrutando de la combinación de sentirse libre de responsabilidades y de tenerte a ti.

Sin embargo, en esta primera fase de la época de las citas, tu experiencia de la relación es bastante distinta. Estas esperando que llegue la armoniosa relación de tus sueños, pero todavía no ha llegado. De un modo relativo, él todavía sigue siendo un extraño y no el hombre que anda a tu lado en el supermercado, ve uno de tus productos favoritos y lo deposita rápidamente en el carro. Aún estás lejos de ver realizada tu fantasía. Para ti, esta primera fase de las citas es meramente un preludio.

Es durante esta fase, en la que vuestras fantasías están en discordia, cuando la mayoría de las relaciones se esfuerzan o fracasan. Tú quieres cambio, quieres llevarlo a tu órbita, pero puede que él sea feliz con la relación tal como es. A él le gustaría tenerte como amante y amiga mientras conserva su propia órbita y la sensación de que sólo él tiene el control de su vida.

Cómo afrontar su necesidad de sentirse libre de cargas

Recuerda que su identidad es mucho más frágil que la tuya. Si una amiga te enseña la foto de un estilo de peinado que cree que te puede sentar bien, o bien sigues la sugerencia o bien la ignoras. No haces ningún daño a nadie ya sigas una opción u otra. Probablemente has cambiado aspectos de tu apariencia o de tu entorno muchas veces. Estás acostumbrada a hacer pequeños ajustes.

Pero ten cuidado. Si le pides a un hombre que cambie su estilo en el vestir, es capaz de tomárselo como un ataque a su identidad. Cualquier tipo de cambio resulta mucho más amenazador para él que para ti. A causa de su Apariencia Masculina, a tu hombre le puede parecer difícil casi cualquier adaptación personal. La Apariencia Masculina convierte a los hombres en los verdaderos histéricos cuando se trata de adaptarse a las relaciones. Incluso cuando se enfrentan a la necesidad de hacer pequeñas concesiones, muchos hombres quieren salir corriendo y regresar a un lugar en el que puedan sentirse libres de responsabilidades.

Esto no significa que todo esté perdido. Sólo significa que a medida que te adentres en la relación tendrás que ser consciente de lo que, de manera eufemística, podríamos denominar la «sensibilidad especial» de tu hombre.

Has demostrado que lo ves como a alguien especial. Has reconocido su identidad, la esencia que subyace a su currículum. A estas alturas debería comprender que respetas lo que es importante para él —sus intereses, sus hábitos, sus deseos— y que quieres que mantenga todo lo que pueda de los mismos dentro del límite de lo razonable. Si tiene sensibilidad, debería comprender que no estás ahí para colocar pesos encima de él ni para utilizarlo injustamente. Debería ver que lo consideras una persona independiente y a quien resulta que amas.

De todos modos, en cualquier tipo de asociación la gente necesita realizar algunos ajustes para poder estar junta, y el amor no es una excepción. No puedes asumir todos los compromisos tú. Tu hombre tiene que optar por ti, no sólo con palabras sino con acciones que se manifiesten en el mundo real. **Nadie puede estar completamente libre de responsabilidades en una relación amorosa.**

Tiene que empezar a comprender que no lo estás mutilando cada vez que le pides que haga algo. No le estás pidiendo que haga algo que tú misma no harías.

Tiene que empezar a confiar en ti. Al fin y al cabo, estás ofreciéndole muchas de las cosas que él anhela: un sentido de familia, de alguien que le está esperando, la experiencia de dos personas que viajan en la misma dirección. Contigo será capaz de aflojar su camisa de fuerza masculina y abrazar el torrente de vida que encarnas. Debería cosechar un sentimiento de bienestar de toda la riqueza de esta experiencia.

Pero, por supuesto, se trata de su elección. Si vuestra nueva vida juntos no merece que renuncie a los pocos dólares de más que le pueda costar, o al tiempo adicional, o si no está dispuesto a hacer ninguna de las «concesiones» necesarias, entonces puede que este hombre no merezca la pena.

Si se resiste incluso a los pequeños compromisos, discútelo con él pronto. Si continúa sintiendo que todo lo que pides es demasiado, quizá tenga un problema que ninguna mujer pueda vencer. Tal vez el amor sea sencillamente menos importante para él que su cartera o su partida de golf, o cualquier otra cosa que él considere parte de su «independencia». Liquida tus pérdidas con rapidez. Quedándote junto a un hombre así te arriesgas a permanecer en una relación que no te aporte nada o muy poco. Todavía sería peor que te diese lo que tú quisieses pero siempre a regañadientes y haciéndote sentir continuamente culpable, como si estuvieses arrebatándole cosas que no te mereces.

Sin embargo, si eres razonable, la mayoría de los hombres te demostrarán el suficiente interés como para responder de mejor manera. A medida que tu hombre se sienta más próximo a ti, la relación amorosa contará cada vez más para él. Pronto verá que le estás ofreciendo la riqueza emocional que siempre había querido. Seguir jugando a «todo hombre para sí mismo» ya no le parecerá tan divertido.

Si sigues algunas sencillas reglas para hacer frente a su necesidad de sentirse libre de responsabilidades, estará más que contento de poder brindarte todo lo que necesitas.

Obtener lo que quieres mientras él se siente libre de responsabilidades

En realidad, es posible utilizar la necesidad neurótica de sentirse libre de cargas que tiene tu hombre en tu propio beneficio. Te estará tan agradecido por el espacio que le otorgas que *querrá* hacerte feliz.

Obviamente, no vas a permitir que la actitud de tu hombre sea la de una persona que rehuye tu compañía, que nada promete y que sólo se deja caer cuando tiene ganas de sexo o afecto, pero puedes ofrecerle la sensación de sentirse libre de responsabilidades sin que tenga ese tipo de conducta.

Esto sucede porque, mayormente, su necesidad de sentirse libre de responsabilidades es, como buena parte de toda su Apariencia Masculina, una *ilusión*. Es tan sensible a las ofensas a su masculinidad que incluso las cosas más pequeñas que hagas pueden disgustarlo de una forma desproporcionada; pero, lo bueno de eso es que las cosas pequeñas igualmente pueden provocar unos efectos sorprendentemente positivos en él. En un tiempo muy breve, mediante minúsculos detalles por tu parte, puedes demostrarle a tu hombre que respetas su necesidad de sentirse relativamente libre de responsabilidades de una manera que ninguna mujer que haya conocido anteriormente haya hecho jamás.

Del mismo modo que tu hombre puede sentirse irracionalmente confinado si el martes le pides que precise que hará el fin de semana, puede reaccionar hacia ti de un modo fantásticamente desproporcionado si le ofreces alguna pequeña libertad. «¿Por qué iba yo a oponerme a que veas *el fútbol el miércoles por la noche*? Esa noche saldré con mis amigas.»

Como otros aspectos de su Apariencia Masculina, la necesidad de sentirse libre de cargas de tu hombre se ha convertido, con los años, en un ritual. Igual que sucede con cualquier ritual, resulta fácil de entender una vez que conoces las reglas. No es algo que esté lleno de sorpresas. Existen tres criterios por los que tu hombre juzga casi todo lo que concierne a su libertad. Desde la niñez, ha asociado estas áreas con la independencia masculina o con ser un hombre débil.

Los tres principios siguientes te enseñarán a obtener lo que quieres mientras permites que se sienta libre de responsabilidades:

1. Mantén un equilibrio justo en la entrega en la relación.
2. No seas un peso emocional.
3. Asegúrate de que tenga tiempo para sí mismo.

Mantén un equilibrio justo en lo que das

Obviamente, en una relación romántica no es posible equilibrarlo absolutamente todo; eso significaría que los dos tuvieseis exactamente el mismo tiempo para hablar cuando estáis juntos, que contribuyeseis exactamente con la misma cantidad de dinero y que os repartieseis las tareas a partes iguales pero, aun cuando eso fuese posible, no sería realmente importante.

El equilibrio es *psicológico* y, especialmente para tu hombre, es parcialmente ilusorio. Cuando piensa en el equilibrio de la entrega adopta, por lo general, una postura a la defensiva. Le aterroriza pensar que se le pedirá demasiado pronto que pase de ser una persona «independiente» a un «cuidador». Por muy injusto e insultante que esto pueda sonar, no es imputable a ti sino a lo que su Apariencia Masculina pueda exigir de él.

Dos de las posturas más importantes que él supone que forman parte de su Apariencia Masculina son: 1) ser el proveedor y 2) el éxito social. No importa que tú tengas una carrera profesional maravillosa y diez empleados a tu cargo: en su mente, él es el cazador cuyo trabajo consiste en traer la comida a casa. Ésta es la fuente de muchas de las cosas que te gustan en él; puede hacer que sea ambicioso, protector, valiente y cariñoso, pero aunque puedas disfrutar de estos aspectos de su Apariencia Masculina, también pueden crear problemas.

En la cuestión de mantener un equilibrio justo, muchos de los primeros problemas surgen en torno del dinero; debido a su Apariencia Masculina, tu hombre puede insistir en demostrarte que él es un proveedor y que tiene éxito en el mundo gastando más dinero del que debería al principio de la relación. Quizá tu hombre intente no permitirte gastar nada las primeras veces que quedes con él. Esto lo hace para impresionarte y puede que constituya un intento de dar a entender que gana más dinero del que efectivamente gana, pero, actuando como un potentado, tu hombre está creando un desequilibrio que empieza a inquietarle.

Para cuando comprenda que no puede seguir actuando de ese modo, quizá se sienta demasiado avergonzado para decirte que está gastando más de lo que puede. Sin haberte brindado la oportunidad de decirle que estás perfectamente dispuesta a compartir gastos, puede empezar a asustarse y a verte como si fueses una mujer codiciosa que le pide más de lo que él puede permitirse. Esta situación es injusta pero, por desgracia, resulta bastante común.

Con frecuencia, las mujeres participan en este engaño porque no comprenden el sentimiento particular que tienen los hombres hacia el dinero. Probablemente pienses en el dinero desde el punto de vista de la libertad y el disfrute que puede comprar. Como es evidente, quieres tener lo bastante como para cubrir tus necesidades. Más allá de eso, te gustaría disponer de algunos ahorros para protegerte en caso de apuro, pero probablemente también pienses que te mereces algunos lujos. Sientes que el dinero puede intensificar los goces de la vida para ti y tus seres amados.

Pero, aun cuando tu hombre no sea tacaño, probablemente reaccionará de una manera muy distinta a la tuya frente al dinero; debido a su Apariencia Masculina, **los hombres consideran que ganar dinero es un signo de virilidad**: comparados con otros hombres, esto les convierte en proveedores y pone de manifiesto su éxito en la sociedad. Recuerda, la competición es un componente importante en la Apariencia Masculina. Para él, estar arruinado, vivir pobremente, tener que pedir dinero prestado a otros o parecer incompetente cuando maneja asuntos económicos constituyen, todas ellas, formas desesperadas de humillación. Además de pensar en lo que el dinero puede comprar, es muy probable que el hombre piense: «¿Qué he hecho con mi vida si no he ganado el dinero suficiente para obtener un respeto, para ser un hombre?»

Para los hombres, el dinero equivale a la potencia y la pobreza, a la impotencia, hasta un grado que a las mujeres les resulta casi imposible de comprender.

Cuando trabajo con pacientes masculinos que han heredado una buena cantidad de dinero, siempre me dicen en las primeras sesiones que lo ganaron con algún negocio; por ejemplo, mediante acciones o alguna empresa que tuvo una corta vida. Sólo transcurrido un tiempo estos hombres se sienten lo bastante libres para admitir que nunca ganaron nada sino que lo heredaron todo. Otros terapeutas explican que oyen la misma mentira de sus parecidos acaudalados pacientes masculinos.

Para los hombres el dinero representa su masculinidad hasta un punto que roza el absurdo; y es un hecho que deberías saber, porque explicará muchas cosas de las que suceden entre vosotros. A menudo oyes a mujeres que dicen: «Mi novio (o mi marido) me va a matar por comprarme esto» (un traje, un coche, una pulsera, comida de *gourmet*). Casi nunca oyes a hombres decir que sus mujeres los van a matar por gastarse demasiado dinero o incluso por perderlo en la bolsa. La idea de tener que explicarse ante una mujer, incluso de tenerle miedo, les resulta intolerable. Las mujeres piensan en el futuro al menos tanto como los hombres, pero difícilmente con el miedo mórbido a la vergüenza que tiene el hombre.

Ayuda a tu hombre desde el principio a ver que, para ti, el dinero es algo que se utiliza no para contrarrestar el coste de un refugio antibombas sino para enriquecer la vida. Permítele ver que te importa el equilibrio en la relación tanto como a él, que estás dispuesta a pagar lo que puedas a fin de enriquecer vuestra vida juntos. Exige pagar tu parte incluso al principio de la relación. Disuádele de gastar en exceso si te parece que lo está haciendo.

Si tiene mucho más dinero que tú, obviamente no puedes dividir todas las facturas por la mitad. Pero una vez que empecéis a pensar en ello, ambos sabréis lo que es justo. Veinte dólares tuyos para unas vacaciones, o entradas para un concierto o una cena elegante, pueden equivaler a cien dólares de él.

Imaginemos que te has ido a pasar con él un fin de semana a un hotel y él pagó la factura. Si es posible, intenta pagar una o dos comidas. Si actualmente estás pasando por una situación de apuro económico y simplemente no puedes aportar ese dinero, hay muchas otras cosas que puedes hacer. Obviamente, dale las gracias con profusión. (No te imagines que ofrecerle sexo es igual que pagarle; el sexo debería ser un acto mutuo, nunca una forma de pago.) Tal vez puedas ofrecerle pasar un tiempo con su sobrina cuando esté en la ciudad o ir a su apartamento un sábado por la mañana y ayudarle a barnizar su escritorio.

Es posible demostrarle fácilmente que llevarte a bordo le convertirá en un hombre acaudalado en todos los aspectos importantes. Después de todo, el dinero es, en su mayor parte, simbólico para él. En su mente, es un amuleto contra la vergüenza, contra el sentimiento de no ser merecedor del amor. Contigo, puede intercambiar una vida de trabajo, ahorro y de lucha contra la humillación por el reconocimiento de que ha llegado y de que ahora tiene a alguien con quien compartir la vida.

Cuanto más amor sienta, menos ansioso estará por el dinero y menos temerá que ocurra un desastre sumo. Querrá vivir el hoy, no el mañana. Por supuesto, querrá ahorrar, igual que tú, a fin de que a él y a sus seres queridos no les falte nada; pero el dinero, tal como una vez dijo el fallecido Quentin Crisp, es el «premio de consolación de la vejez». El amor es el premio verdadero.

En su deseo de demostrarte que es tu proveedor y tu protector, tu hombre también puede esforzarse en demasía de otras maneras. Quizá se ofrezca voluntario para solucionar él mismo todos los problemas. Puede arreglarte el coche o al menos llevarlo a la persona «adecuada»; puede hacer que alguien de su oficina te ayude a instalar el nuevo sistema de tu ordenador. Las ofertas de tu hombre pueden fluctuar y ser o bien justo lo que tú querías o hasta llegar a parecerte molestas, innecesarias y condescendientes. Con todo, tu impulso puede llevarte a aceptar su ayuda ya sea porque la necesites o porque quieras autorizarlo como hombre.

Dado que estás en una relación, indudablemente tienes el derecho de dejar que tu hombre se encargue de algunas obligaciones, pero sé consciente de lo que estás haciendo. De nuevo, el equilibrio es la clave. La Apariencia Masculina de tu hombre puede forzarlo a ofrecer mucho más de lo que realmente quiere y, como no registra sus propios sentimientos, tal vez tarde un tiempo en comprender que está haciendo más de lo que se proponía. Cuando esto ocurra, irá construyendo un resentimiento inconsciente y percibirá injustamente que eres demasiado dependiente pues no recordará que *él insistió* en hacer las cosas que hizo. Tal vez sienta que te estás aprovechando de él y pagarás un precio por ello.

Algunos de los hombres de más éxito que he tratado (de éxito en el mundo, aunque no en el amor) me contaron que las mujeres siempre quieren demasiado de ellos. A medida que describían sus relaciones, sospeché que la mayoría de las mujeres implicadas ni siquiera deseaban su ayuda, sino que permitían que el hombre exhibiese su virilidad y competencia. En algunos casos, los hombres acabaron con la relación porque se sintieron explotados. En otras, fueron las mujeres las que pusieron punto y final diciéndole a los hombres que se sentían controladas en exceso.

A causa de la Apariencia Masculina de tu hombre, existe una frágil frontera entre permitirle que construya su ego ayudándote y dejar que te dé demasiado, tras lo cual se sentirá mal. Comprende esto y habrás ganado media batalla. Siempre que tengas en cuenta la cuestión del equilibrio, las cosas no se descontrolarán.

Intenta no dejar que tu hombre se exceda, ni siquiera en los pequeños detalles. Si quedas para cenar con él en su barrio y él insiste en pasar a recogerte pese al denso tráfico, no se lo permitas. Demuéstrale que percibes la caballerosidad inútil como algo pesado para él e innecesario para ti. Rechaza seis ofertas que no necesites realmente y, entonces, cuando aceptes una ayuda que verdaderamente te haga falta, parecerá razonable. ¿Acaso no resulta simbólico buena parte de todo esto? Sí, pero la mente trabaja con símbolos.

Por otro lado, si crees que un hombre debería pasar *siempre* a recoger a una mujer cuando tienen una cita y precisas que tu hombre conduzca innecesariamente a través de la abarrotada ciudad en hora punta, él percibirá que no puede sentirse libre de responsabilidades y que tu falta de equidad sólo podrá ir en aumento. Experimentará tu adherencia a las formas correctas como una señal de que la vida contigo será el final de la vida tal como la conoce.

Cuando eres consciente del problema, es posible dejar que te guíen tus instintos; tampoco hagas demasiado por él. Sentirse libre de cargas es una cuestión aplicable a ambos. Saber que amar y ser amado constituye el único medio para sentirse libre de responsabilidades y que son las alas de la existencia puede ayudarte a superar todos los problemas de desequilibrio.

No seas un peso emocional

Estás acostumbrada a hablar de tu vida emocional al menos con alguna amiga íntima. Las buenas conversaciones te ayudan a mantener tu equilibrio y también a intensificar el lazo de unión con esa amistad. Probablemente, a medida que te sientas más próxima a tu hombre, descubrirás que quieres hablar con él de la misma manera; pero su Apariencia Masculina no te permitirá desarrollar esta actividad tanto como tú desearías. Aun cuando tu hombre se haya esforzado por ser sensible, y lo sea, tiene menos tolerancia que tú para discutir sobre la vida interior.

Si parece impaciente cuando le hablas de tus cambios de ánimo, no significa que no te quiera; es sólo que, desde la niñez, le han enseñado a «seguir adelante» y a no demorarse en los sentimientos. Al fin y al cabo, los atletas siguen compitiendo cuando se lesionan y no hablan de sus problemas físicos. En la onda de esta mentalidad, tu hombre cree que él debería ser así y se siente más cómodo en un entorno en el que los demás sienten lo mismo que él. Éste es el origen del tipo de vínculo masculino que puede verse en el gimnasio o en un campo de béisbol, o incluso en el bar al que acuden sus compañeros de trabajo al acabar la jornada. Las conversaciones que se producen en esos lugares podrían parecerte poco más que una serie de gruñidos inarticulados, pero ese tipo de comunicación resulta natural para él y tus inquisitivas preguntas emocionales le parecen poco naturales y pesadas.

Con el tiempo, a medida que tu hombre empiece a amarte, a confiar en ti y comprenda que no tienes el menor deseo de debilitar su masculinidad, no se sentirá tan retado por el tema de tu conversación. A medida que le vayas permitiendo que esté libre de responsabilidades en otras áreas, reconocerá que tu objetivo no es el de convertirle en un afeminado —pero esto requerirá un tiempo.

A fin de ayudarle a sentirse libre de responsabilidades emocionales (y para ayudarte a ti misma), limita el tiempo que pasas hablando de lo que *no* te gusta. Ahórrale el papel de tener que decirte constantemente que las cosas son mejores de lo que te parecen. Pongamos que tu jefa no se puso en contacto contigo hoy como había prometido, o alguien se te adelantó en la cola del banco, o el supermercado no te entregó uno de los paquetes. Puedes ocuparte de ello. Al «compartir» estas trivialidades con él, le estás diciendo que el mundo es un lugar siniestro y que tú misma eres bastante sombría. Le estás inculcando el deseo de mudarse a un mundo mejor en el que pueda vivir con una mujer más optimista.

Ser ligera significa tener un amortiguador de choque incorporado en tu propio sistema y no exponerlo a él a cada bache que te encuentres en el camino. Él ya se encuentra con bastantes baches propios. Por cierto, tienes derecho a decirle que deje de quejarse por cualquier cosa. Cuando dejes de expresar lo negativo, retrocederá en tu conciencia y te sentirás efectivamente mejor y más ligera.

Procura no pedir que te brinde demasiada seguridad. Una de las cosas más pesadas emocionalmente que le puedes hacer a tu hombre es no dejar de pedirle que te tranquilice. Cuando haces esto le fuerzas a entrar en un terreno emocional que quizá no desee visitar en ese momento. De entrada, cuando te sientes insegura, tendrás un sinfín de preguntas que te gustaría que te contestase: «¿Todavía me quieres?» «¿Acaso no ha sido maravilloso el sexo?» «*Siempre* estaremos juntos, ¿verdad?»

Tienes derecho a preguntarle todo lo que quieras, *a veces*, pero no con demasiada frecuencia. Lo agobiarás y tú misma te sentirás como un peso pesado. Examínalo con atención y comprobarás que, en cualquier caso, sus respuestas no te ayudan. Te sentirás mejor durante un instante si te dice exactamente lo que quieres escuchar. «Claro que te quiero. Más que nunca.» Pero diez minutos más tarde te sentirás probablemente igual de agitada. La idea de que *tuvo* que decírtelo para que dejaras de molestarle te cruzará por la mente. ¿De qué otro modo podría haberte contestado? Quizás aún te sientas *peor* porque sabrás que te has comportado como una persona necesitada de atención y le has exigido algo.

Si eres capaz de resistir el impulso de pedirle que te tranquilice, probablemente te sientas mejor al cabo de diez minutos. Igual que ocurre con los sentimientos negativos, la inseguridad personal a menudo se cura por sí sola cuando no la subrayas anunciándola. Las preguntas que se hacen con el objetivo de que te brinden seguridad suelen evaporarse cuando no las formulas. Si es posible, anímate. Piensa que tus dudas momentáneas son infundadas y que la relación va por buen camino. Puede que sea así o no. Si lo es, te has beneficiado al no pedirle que te tranquilice: te sentirás más valiente y mejor, y no habrás agobiado a tu hombre. Si la relación presenta dificultades, que pidas que te tranquilice no será de ninguna ayuda.

Y no intentes hacer trampa con frases que, en realidad, son preguntas veladas. Por ejemplo, anuncias a propósito de nada: «Te quiero mucho». Entonces, de hecho, aguardas el esperado «Yo también te quiero».

O dices algo inocente como: «Karen me ha dicho que formamos una pareja perfecta». La prueba de que, en realidad, con esto intentas que te brinde seguridad llega cuando tu hombre no te dice nada y tú te sientes aún peor.

Cuando pides que te tranquilice, te muestras más insegura y menos atractiva. Arriésgate en la relación sin buscar que te den pruebas adicionales destinadas a tranquilizarte y sólo esto te hará más ligera y más atractiva.

No insistas en formar pareja demasiado pronto. Uno de los terrores emocionales más extremos de tu hombre es el sentimiento de verse involucrado en una relación antes de estar listo para ello. Necesita avanzar parándose a cada paso y *él* es quien debe escoger cuándo dar cada uno de esos pasos. Si le haces sentir demasiado pronto que forma parte de una pareja y que todo está ya planeado para él —hogar, hijos, gastos de la universidad, obligaciones familiares— verá su vida entera cruzando como un relámpago frente a él. Aunque te quiera y hubiese andado el camino que tú tienes en mente para él, querrá marcharse corriendo.

Tu hombre ve la mayor parte de estas señales de peligro por la forma en la que lo tratas en público. Ser poseído en privado es una cosa, pero ser poseído en público puede provocarle pesadillas. Aun en el caso de que te ame, quizá no quiera que el mundo lo vea como a un hombre que ya está atado de por vida. Desiste de hacer cualquier cosa que pueda dar la impresión de que estás reuniendo testigos para evitar que huya de ti.

Por ejemplo, cuando estás con otras personas, no hables *por él* diciendo lo que le gusta y lo que le disgusta. («Oh, Rick nunca come berros. No le sirvas esa ensalada.») Evita las frases en plural. («Oh, ya no comemos ternera» o «Todos los martes vamos a que nos hagan un masaje».) No le tomes de la mano sólo para demostrarle a todo el mundo (incluso a él mismo) que te pertenece. Toma su mano cuando *te apetezca*, nunca para demostrar nada. Obtendrás unas maravillosas reacciones viscerales cuando él te escoja, y unas malas reacciones cuando se sienta limitado por ti.

Hace algunos años conocí a dos parejas en una fiesta de Navidad. Lauren, a quien conocía sólo superficialmente, estaba allí con un hombre muy apuesto. De hecho, durante las primeras horas, no me di cuenta de que estaba con él. Ambos circulaban libremente. Cuando Lauren me presentó al hombre, sólo dijo: «Éste es Jack». Empezamos a hablar y me pareció un hombre muy agradable. Cuando les dije que mi mujer y yo íbamos a ir al Cabo May la semana siguiente,

Jack mencionó que él y Lauren habían estado allí juntos recientemente y nos sugirió un maravilloso restaurante. Sólo entonces me di cuenta de que eran pareja.

La otra pareja parecía estar pegada con Loctite. La mujer, Chloe, a quien acababa de conocer, me pareció de inmediato que se sentía insegura con David, el hombre con el que estaba. Lo atrajo rápidamente y me lo presentó. «Éste es mi novio, David». (Yo hacía años que conocía a David y nunca le había oído mencionar a Chloe.) Sin embargo, Chloe hacía hincapié en que formaban una pareja. «Acabamos de llegar de nuestra casa en Southampton.» (Yo había estado en la casa de verano de David en varias ocasiones. Era propiedad suya desde mucho antes de conocer a Chloe.)

Chloe utilizó el plural «*nosotros*» muchas veces. Dijo que «"*nosotros*" iremos a Europa el mes que viene» y que « "*nosotros*" estamos pintando *nuestra* casa de campo». Habló de planes a largo plazo con David, primero conmigo y después con varias personas de la fiesta. Cuando una de las mujeres que estaban presentes explicó que nunca conseguía que su marido la llevara al teatro, Chloe dijo que «"*nosotros*" vamos sin parar». Cuando llegaron los postres, Chloe le dijo a la anfitriona que David estaba a régimen y añadió: «Nosotros tenemos mucho cuidado con lo que comemos, de modo que nos gustaría tomar el postre bajo en grasas».

Cuando se marcharon agarrados del brazo, Chloe dijo: «*Nos* veremos de nuevo pronto. Tenéis que venir a visitarnos». En realidad, no los vi nunca más; rompieron poco después. Lauren, sin embargo, está prometida con Jack y se casará dentro de seis meses.

Para tu hombre, sentirse libre de responsabilidades significa que todavía es un ser independiente, que ambos os estáis eligiendo libremente y no que estáis atados con un nudo. Ningún hombre quiere sentirse atrapado. Las mejores relaciones son las que permiten una parcela entera de independencia. Confía en tu hombre para que vaya hasta ti de una forma natural. No lo involucres demasiado o no irá en absoluto.

Asegúrate de que tiene suficiente tiempo para sí mismo

Al principio, tu hombre tal vez quiera pasar todo el tiempo posible contigo, pero probablemente pronto sienta claustrofobia. El tiempo, al igual que el dinero, es un tema mucho más delicado para los hombres que para las mujeres. Dada su Apariencia Masculina, el tiempo, como el dinero, tiene un significado simbólico además del real. En su mente condicionada por la propaganda, la diferencia entre un hombre y un niño reside en que el hombre puede decidir lo que quiere hacer y puede pasarse todo el tiempo que quiera haciéndolo. Ya le resulta bastante duro que su trabajo requiera una asistencia regular; incluso esto resulta insultante para su masculinidad. Para él, sacrificar su tiempo por una mujer —incluso por ti, la mujer que ama— puede parecerle una suerte de «castración».

Los hombres están constantemente gastándose bromas sobre el control que ejercen sobre ellos sus mujeres o novias y el tema es casi siempre no disponer de tiempo libre.

—¿Crees que John podrá venir?
—No, su mujer no le dejará salir.

—¿Cómo es que has venido esta noche?
—Oh, mi mujer ha ido a ver a una amiga.

Por supuesto, a ningún hombre debería importarle lo que le digan sus amigos, pero esos hombres se están haciendo eco de un miedo profundo que sufren muchos de ellos: el miedo a ser controlados por una mujer.

Especialmente si te encaminas hacia una relación íntima de larga duración, debes comprender las razones por las que tu hombre necesita apartarse de ti en algunas ocasiones. A ti, como mujer, puede resultarte sencillo pasar un largo tiempo sola con él. Para ti, sentirte cerca, confiar en alguien y sentir profundamente, es enriquecedor. La intimidad te refresca. Hasta cierto punto, a él le sucede lo mismo, pero, como hemos visto, los intercambios emocionales también lo fatigan con rapidez.

Tú también necesitarás tu propio espacio y tu tiempo, y tal vez tengas que pedirlo o sencillamente tomártelo. La mayoría de relaciones románticas atraviesan una fase en la que los amantes se ven casi en exclusiva. Al cabo de un tiempo, ambas partes quieren pasar más tiempo separadas y también recuperar el tiempo perdido con los amigos a quienes descuidaron mientras la relación se estaba formando. No obstante, existe una diferencia. Durante la etapa inicial de la relación romántica, tu hombre puede necesitar, ocasionalmente, distanciarse algo más que tú.

Tras pasar intensos intervalos de tiempo contigo —en especial si habéis estado hablando sobre la relación— puede que necesite ir por su cuenta durante un tiempo. No es que ocurra nada malo entre vosotros; es sencillamente que, por el momento, se siente abrumado, tal como uno podría sentirse en una clase difícil en el colegio. Necesita absorber lo que ha ocurrido a fin de aclarar las cosas en su mente. Quizá lo haga quedándose solo, viendo la televisión, haciendo ejercicio o practicando algún deporte. Muy posiblemente, sólo esté intentando aclararse ocupándose en una de estas actividades que no requieren actividad mental o incluso pasando algo de tiempo con sus amigos, quienes se mantienen a un nivel superficial y para los que hablar sobre algo profundo es tabú.

Tu hombre juzgará tu delicadeza sobre la cuestión del tiempo de dos maneras. Observará cuáles son las viejas actividades que puede continuar haciendo. Cuanta menos diferencia sienta que hay entre el «antes de ti» y el «después de ti», mejor se sentirá en la relación. Y lo que es más importante, valorará lo fácil que le resulta escapar de ti cuando necesita espacio. Si puede hacer lo que necesita hacer cuando se siente sobrecargado, cuando sufre sus «ataques asmáticos emocionales», disfrutará más de ti cuando esté a tu lado. Tras el tiempo que ha pasado alejado de ti, regresará queriéndote más que nunca porque contigo pudo sentirse libre de cargas y no le hiciste objeciones.

Naturalmente, incluso la libertad tiene sus límites. Si por la noche, después de cualquier discusión de cinco minutos sobre la relación, tiene que salir, entonces está haciendo algo más que tomarse un respiro. Por otra parte, si siente el impulso de entretenerse con su ordenador durante un rato y tú le sigues para no dejar de hacerle preguntas sobre cómo se siente en relación con alguna cosa en concreto, resultará demasiado para él. Los dos debéis decidir qué es razonable y, si puedes evitar la reacción paranoica de pensar que cada vez que él se distancia un poco la relación está acabada, será de gran ayuda para ambos. Incluso la mejor de las relaciones románticas necesita respirar.

Pero no permitas que esta necesidad de sentirse relativamente libre de responsabilidades te intimide. Tu papel no es el de servirle ni el de hacer todas las tareas desagradables sola. No abandones por completo tu fantasía de unión, de que ande junto a ti en el supermercado. Tienes el derecho a esperar que haga cosas contigo y quizá tengas que exigirlo. Algunas personas requieren pasar más tiempo con sus parejas y otras, menos; tú tendrás que trazar tus propias líneas. Por supuesto, las cosas resultarán más fáciles si compartís intereses comunes, y en especial, si tenéis buena relación con vuestros respectivos amigos. Si no es así, deberéis esforzaros por encontrar cosas que podáis hacer juntos.

A medida que la relación amorosa progrese, cuando tu hombre vea que no tienes la menor intención de devorar su tiempo ni de avergonzarlo delante de sus amigos, las cosas resultarán más fáciles. Querrá estar más contigo. Cuando esté a tu lado se sentirá como si estuviese en casa, amado, y tú te sentirás lo bastante segura como para comprender que no te está rechazando cada vez que quiera hacer algo a solas.

Los límites de sentirse libre de cargas

Pese a que tu hombre tiene el derecho de sentirse relativamente libre de responsabilidades, tú también tienes derechos en la relación. Has renunciado a una determinada cantidad de libertad por estar con él;

puede que veas menos a tus amigas, quizás estés anulando citas y mantengas tus horarios flexibles para acomodarte a él. No te importa porque crees que merece la pena, **pero tienes derecho a pedirle algunas cosas básicas, se sienta o no se sienta «castrado» por ellas.**

Tal vez puedas vivir con el hecho de que tu hombre no te llame con la frecuencia que desearías sólo para decirte «hola» o «te quiero» o «te echo de menos», pero hay ocasiones en las que la falta de comunicación es perjudicial y revela que su forma de sentirse libre de responsabilidades no es adecuada. Del mismo modo que él precisa un equilibrio en la relación respecto al dinero, la entrega y el tiempo, tú necesitas equilibrio respecto a la comunicación emocional. Tras haber pasado por una fase determinada de la relación, se espera de él que *no* deje pasar más de dos días sin llamarte. Se espera que no te obligue a perseguirlo. Se supone que debe brindarte una comunicación emocional. Tú no puedes ser la única que diga «te echo de menos» o «¿qué haremos el fin de semana?»

Sabes por experiencia que si él se comunica contigo llamándote, haciéndote saber sus planes y reafirmando sus sentimientos por ti, no te sentirás ni mucho menos tan amenazada porque él esté lejos de ti como te sientes cuando se muestra inescrutable. No te molestará que haga muchas cosas por su cuenta. Tiene que ganarse su derecho a sentirse relativamente libre de responsabilidades mediante una comunicación regular y tú tienes derecho a exigírsela.

Identifica cuáles son tus necesidades básicas. Si te pareces a la mayoría de las mujeres, la lista estará encabezada por el deseo de que te llame razonablemente a menudo y de que te haga saber que le importas. Además de esto, hay otras cosas que resultan importantes para ti. La visión que tengas de la vida puede incluir a un hombre con el que hagas viajes o que demuestre interés por tu trabajo creativo, o que le dedique tiempo a un hijo tuyo de un matrimonio anterior. Identifica tus necesidades y sé muy clara respecto a ellas. Deja claro cuál es tu situación y averigua la suya a fin de que ambos podáis respetar las necesidades básicas del otro.

En las mejores relaciones amorosas, las dos personas preservan su individualidad, en lugar de fusionarse hasta tal punto que pierdan el sentido de quiénes son y de quiénes quieren ser. Estar juntos sigue siendo una elección diaria. Lucha por ello. La recompensa por ayudar a tu hombre a sentirse libre de cargas, siempre que sea posible, es que renovará su amor por ti una y otra vez. Sabrás que tú eres su elección y que él es la tuya.

4

No te alejes de mí. Tengo miedo

La tercera necesidad básica de tu hombre: la lealtad

Cuando oyes hablar a las mujeres, parece que la lealtad sea una cuestión más importante en su vida que para los hombres, pero la lealtad es mucho más vital para tu hombre que para ti, *aun cuando esté indeciso respecto al compromiso*. Tú deseas lealtad porque él te importa y no quieres estar sin él. Incluso las pequeñas traiciones duelen porque indican que quizá no te quiera tanto como creías y tal vez no acabéis juntos.

Él necesita tu lealtad para obtener este tipo de seguridad, pero también por otra razón que resulta todavía más importante. Ser traicionado por ti (de alguna de las muchas maneras posibles) pone toda su masculinidad en duda. **La necesidad que tiene de tu lealtad constituye una buena parte de su Apariencia Masculina.** La necesidad de tener a una mujer que esté consagrada a él, «su mujer», forma parte de esta apariencia. ¿Injusto? Por supuesto. ¿Qué derecho tiene a exigir tu lealtad antes de que se comprometa contigo? ¿Y en qué consiste dicha lealtad?

Lo que resulta más obvio es que necesita creerse esa ficción de ser «el hombre grande y fuerte», al igual que tú necesitas imaginarte que eres «la preciosa princesa» del hombre con el que te cases. Necesita tu lealtad sexual a fin de sentirse potente y parecer potente frente al resto de cavernícolas infantiles que le rodean. Le gustaría que tu lealtad sexual fuese de pensamiento así como de obra, aunque probablemente no se atreva a decírtelo. También le gustaría que le hicieses saber al mundo que lo ves como la respuesta a tus plegarias y que nunca lo has considerado alguien con quien sólo te has conformado. Necesita que veas de modo leal lo mejor que hay en él, en especial cuando las cosas van mal. Necesita que consideres que está más allá de cualquier comparación. Y necesita que guardes sus secretos y que le ayudes a presentar la mejor imagen posible que pueda ofrecer al mundo. Tú quieres obtener la misma expresión de lealtad por su parte, pero él tiene un problema especial.

A tu hombre le resulta difícil *admitir* que necesita tu lealtad tan desesperadamente debido a su Apariencia Masculina, que le advierte: «No demuestres debilidad. No deposites ese poder en las manos de una mujer». Cuando finalmente se enamore, tu hombre estará muy atento para asegurarse de que esta realizando la elección adecuada. **Para él, arriesgarse con la verdadera proximidad es, con mucho, la mayor apuesta de su vida.** El amor es, después de todo, una entrega de poder. Ésa es la razón por la que tiene tanto miedo y depende tan profundamente de tu lealtad antes de tener derecho a ella. Si comprendes su necesidad de lealtad cuando se manifieste, podrás tranquilizarlo sin sacrificarte a ti misma durante el proceso.

¿Acaso no resulta sorprendente que ser el sexo más débil es lo que provoque en él esa necesidad de lealtad? No debería extrañarte. Piénsalo de la siguiente manera: no sería tan sensible si no dependiese tanto de ti. Si puedes ocuparte de su necesidad de lealtad, incluso mediante pequeños detalles, obtendrás unas reacciones viscerales extraordinarias sin ningún coste real para ti. Que él te perciba como a una mujer leal o no puede muy bien llevarlo a decidir si quiere casarse contigo o no.

Aunque tu hombre se sienta herido por lo que considera una deslealtad por tu parte, quizá no te lo diga, pero eso no significa que tu tarea sea imposible. En realidad, casi todos los hombres buscan la lealtad de la misma manera. Si sabes cómo, obtendrás las reacciones viscerales positivas que quieres sin que te cueste demasiado. La necesidad de lealtad de los hombres se divide en tres categorías. Tu hombre debe estar convencido de tu:

1. lealtad sexual,
2. lealtad a quien verdaderamente es, al margen de lo que aporte a la relación (como condición social, dinero, logros...) y
3. lealtad a su presentación en público.

La necesidad de lealtad en los hombres a veces puede parecer excesiva e irracional, y a menudo lo es. A algunos hombres los vuelve locos el tema. Una pequeñas cosa puede hacerlo estallar de forma desproporcionada, y, de repente, tu hombre podría ver infidelidades donde no existe ninguna. Pero, con el tiempo, aprenderás con exactitud respecto a qué cosas es hipersensible tu hombre. Idealmente, si te ocupas de las pequeñas cosas, no llegarán a surgir grandes problemas, y, a medida que lo conozcas mejor y que él llegue a confiar en ti, sus exigencias de lealtad disminuirán hasta alcanzar un nivel normal. Por supuesto, al final eres tú quien debe decidir si está pidiéndote más de lo que puedes o quieres dar. Ningún hombre debería pedirte jamás que seas desleal con la gente que es importante para ti ni que le entregues tu vida y la deposites en sus manos. Lo importante es comprender exactamente cuáles son las necesidades de lealtad de tu hombre y, por lo general, esto resulta bastante fácil de hacer.

A medida que examinemos estas tres formas de lealtad, verás la importancia de cada una de ellas.

La lealtad sexual

Casi sin duda alguna tu hombre querrá que le seas leal sexualmente desde mucho antes de pedírtelo, si es que alguna vez lo hace. Quizás espere a que tú menciones el tema, y entonces estará de acuerdo, como si la monogamia fuese tu exigencia y no la suya; pero no te dejes engañar. En la mayoría de los hombres, la Apariencia Masculina alcanza su punto culminante alrededor del sexo. Tan pronto como tu hombre se sienta más apegado a ti (y quizás aunque no lo esté), se verá desesperadamente amenazado por la idea de que tengas relaciones sexuales con otro hombre.

Puede que sea uno de esos hombres que parece que se toman las cosas con calma y a los que les gusta dar la impresión de que los celos es un problema *tuyo* y no suyo, pero nada más lejos de la realidad. Al ser el sexo más débil, los hombres se muestran mucho *más* celosos que las mujeres y perdonan menos las traiciones sexuales. Se obsesionan más que las mujeres por cosas pequeñas, como que salgas a comer con tu ex novio o que un hombre flirtee contigo, o que asistas a una conferencia de negocios.

Tu hombre puede fingir que para él es posible mantener relaciones sexuales con otras personas y no involucrarse emocionalmente mientras que tú eres tan romántica que no puedes. El objetivo de toda esta sinrazón es el de ocultar su necesidad desesperada de que seas por completo leal a nivel sexual. Quizá sea uno de esos hombres que admite sin dificultad que le gustaría tener sexo con otras mujeres pero jura y perjura que no lo hará; sin embargo, si tú le dijeses: «Me gustaría tener sexo con otros hombres, aunque por supuesto no lo haré», podría sufrir un colapso interno de proporciones hospitalarias.

La mayoría de los hombres se sienten increíblemente inseguros respecto a lo deseables que pueden resultar sexualmente y esto provoca una necesidad de lealtad sexual cien veces mayor de la que ellos admiten. Llamar a los hombres «el sexo débil» es especialmente acertado en cuestión de sexo. Si le gustas a ese hombre, la imagen de ti en la cama con otro hombre, incluso con un novio del pasado o con tu ex marido, le afectará emocionalmente. La competición sexual parece inherente al ego masculino.

Tu hombre puede sentir curiosidad sobre sus rivales. Quizá te pida desapasionadamente que le hables de antiguos novios y de tu relación sexual con ellos. «¿Quién era el agresor?» «¿Te gustó?» «¿Y comparado conmigo?» «No, por favor, explícame los detalles. No me molestan en absoluto. Me gusta oírlos, me excitan.» Tal vez es posible que se excite con estas historias; al fin y al cabo, él gana la competición por el momento y eso puede hacer que el sexo sea mejor durante un tiempo, pero la competición es un reto que no tiene fin. Si has mantenido relaciones sexuales con otros hombres antes de él,

¿por qué no habrías de hacerlo después de él, o mientras estás con él? Algunos hombres desconfiarán tras oír estas historias. Nunca infravalores los celos de los hombres y su necesidad de lealtad sexual.

Lo que tu hombre siente, si eres importante para él, es probablemente algo parecido a esto: «Necesito que pienses en mí como tu único amante. No soporto la idea de que puedas haber tenido otros mejores, aunque me digas que a mí me quieres y que a ellos no los quisiste nunca. Me siento inseguro de mí mismo y no soporto la competición». Tu hombre ve que disfrutas del sexo y sabe que probablemente tienes un historial sexual, pero será mejor que no le cuentes los detalles, al menos no hasta que haya pasado mucho tiempo. La mayoría de los hombres no pueden aguantarlo.

Ahora que sabes esto, si es que no lo sospechabas ya, ¿cómo puedes convencer a tu hombre de que si se compromete contigo, no tendrá que preocuparse por otros hombres? Necesitará ese sentimiento para tener una reacción visceral que le haga verte como su mujer. Obviamente, no vas a dejar tu trabajo, ni vas a evitar comer con hombres ni dejarás de decir que otro hombre es guapo. Y si te gusta arreglarte para tener un aspecto *sexy*, no vas a cambiar toda tu apariencia a fin de que él no experimente nunca más un momento de celos. Si necesitas hablar con tu ex marido de los niños, lo harás.

Sin embargo, hay una serie de cosas que puedes hacer para convencer a tu hombre de que eres sexualmente leal, y, una vez que él manifieste la reacción visceral adecuada hacia ti en este frente, no se sentirá turbado por las cosas inocentes que haces. A medida que vaya confiando en ti, te verá como a una esposa y compañera de por vida.

Lo primero que hay que hacer es **acordar un pacto de fidelidad sexual.** Cuando desees hacerlo o te parezca que ha llegado el momento para ello —puede ser en la cuarta cita o en el cuarto mes— no dudes en iniciar la conversación y decir lo que quieres. No te preocupes, si sus intenciones son serias, no lo ahuyentarás. Lo opuesto es verdadero. Si le importas de verdad, insistir en que te sea sexualmente fiel y prometerle lo mismo por tu parte, hará que se sienta *más* seguro contigo. El momento en el que dos amantes acuerdan este pacto con palabras, marca el principio de una nueva era: una en la que su compromiso es más profundo que en la anterior. Insistiendo en su fidelidad, le estás diciendo a tu hombre que puede esperar lo mismo de ti. Sentirá que tu petición es como una promesa.

Tan pronto como sea posible clarifica con tu hombre cuál será el trato que ambos tendréis con vuestras ex parejas y ex amantes respectivos. Si para él es importante que menciones cualquier contacto con tus ex y tú no estás de acuerdo con tal exigencia, háblalo con él. Obviamente, si tienes hijos de un marido anterior, hablarás con el padre de tus hijos le guste a tu nuevo hombre o no. No cometas el error de permitir que tu hombre te fuerce a establecer un acuerdo que no puedas mantener. Sé leal contigo misma. Llega a acuerdos que te sean posible mantener sin destruirte a ti misma, para no tener que ser deshonesta.

Si tienes que dejar a otro hombre por éste, hazlo limpiamente. Deja claro que la traición sexual es algo que te perturba. No eres tan «guay» como para sencillamente aceptarlo sin más. Comunicas tu actitud respecto a la traición sexual no sólo por cómo tratas a este hombre sino también por cómo tratas a los demás. Aunque tu nuevo hombre se sienta halagado por la victoria sobre un rival, se identificará con éste —quizá no ahora, pero sí más tarde— cuando tenga que decidir si se compromete plenamente contigo o no.

Drew y Ariana, ambos en mitad de la treintena, estaban cada uno de ellos infelizmente casados. Se conocieron en la oficina, una gran agencia publicitaria; no trabajaban en los mismos proyectos, pero estaban en la misma planta. Durante un tiempo, los dos habían estado buscando vagamente una vía de escape a sus respectivos matrimonios, pero ambos eran demasiado cobardes para hacer frente a la situación a fin de superarla o acabar con ella. Mantenían sus respectivos matrimonios por conveniencia. Drew y Ariana empezaron su relación en un hotel de Florida en el que se hospedaron durante una gran presentación de la agencia. Un poco de bebida suprimió la culpabilidad y acabaron en la cama de la habitación de Ariana. Cuando regresaron a Nueva York continuaron viéndose a escondidas, a veces en un hotel durante la hora de la comida. Ambos tomaron grandes precauciones para no ser descubiertos y nadie lo hizo.

Ocho meses después, Ariana le pidió el divorcio a su marido, y, animado por su ejemplo, Drew también puso punto y final a su matrimonio. Pero Ariana no se dio cuenta de que, durante todo ese tiempo, Drew estaba experimentando *una reacción visceral muy negativa hacia ella*, además de las otras reacciones positivas. Durante todo el tiempo que duró su relación secreta, Drew se había sentido inconscientemente horrorizado por la sensación de que Ariana estaba siendo infiel a su marido. Incluso mientras se estaba enamorando de ella, se sentía conmocionado por las descaradas mentiras que le contaba a su marido. A menudo, en su habitación del hotel, Drew escuchaba mientras Ariana le explicaba a su marido desde el móvil que estaba comiendo con un cliente. La había oído elaborar historias intrincadas y muy creíbles sobre las razones por las cuales tenía que volver tarde a casa algunas noches o por las que tenía que pasar una noche fuera de la ciudad.

Ariana había querido que Drew oyese esas conversaciones. Se imaginaba que, de ese modo, le demostraba su devoción por él y su disposición a romper con todos sus otros lazos, a saltarse las reglas por él. Durante una de esas llamadas a su marido, Drew le acarició el cabello a Ariana; resultó excitante hacerlo mientras ella hablaba con otro hombre. En aquel momento, esto le brindó un momentáneo estremecimiento por el triunfo a capa y espada que suponía sobre su rival sexual, pero, aunque a Drew le parecía que Ariana era excitante y deseable, estaba alimentando el sentimiento de que jamás podría confiar en ella; sin embargo, su Apariencia Masculina le impidió decir nada al respecto, pues no quería parecer vulnerable. No quería que Ariana pensase que no era lo bastante hombre como para saber sobrellevar una pequeña traición.

No obstante, aun cuando ya habían solicitado sus divorcios, Drew encontró pretextos para no divulgar que él y Ariana eran pareja. Dijo que si la agencia lo supiera resultaría perjudicial para sus carreras y también que complicaría las cosas a la hora de pactar sus respectivos divorcios; le explicó que su abogado le había aconsejado que esperasen, pero Ariana empezaba a percibir que algo andaba mal. Seis meses después de sus divorcios, Drew rompió con Ariana con el pretexto de que no estaba preparado para nada serio.

Drew y Ariana vinieron a verme cuando su relación ya se estaba acabando, en un intento final desesperado por salvarla. Ariana pensaba que la relación había empezado siendo muy romántica. «Luchamos contra viento y marea para estar juntos. Ambos estábamos atrapados y la única dicha en nuestras vidas era estar juntos.» Drew estuvo de acuerdo, pero lo que ahora le estaba atormentando era otra característica de la experiencia. A él le había encantado el romanticismo y la sensación de sexo peligroso, pero ahora estos recuerdos se iban apagando. En lugar de ello, lo que recordaba vívidamente eran las llamadas telefónicas en las que Ariana, con una voz temblorosa, había mentido tan fácilmente al hombre que todavía confiaba en ella. Drew había acumulado una falta de confianza en la lealtad de Ariana que no era capaz de superar. Aquellos recuerdos eran demasiado vívidos y eran demasiado abundantes.

En una sesión posterior que realicé a solas con Ariana, me comentó que había oído un dicho según el cual los hombres nunca se quedan con la mujer que los ayuda a salir de un mal matrimonio. «Es increíblemente injusto», dijo. «Hice todo lo que se me ocurrió para demostrarle que lo amaba. No sabe cuánto he sufrido todas las noches que él volvía a casa con otra persona.»

En cierto modo tenía razón, pero la cuestión de la lealtad demostró ser un obstáculo demasiado grande. Ella y Drew no volvieron nunca a estar juntos. Ariana había infravalorado la fuerza de las reacciones viscerales de los hombres frente a la deslealtad, *incluso cuando ellos mismos no son las víctimas*. Si te muestras desleal en favor de tu hombre, le preocupará que algún día seas desleal con él.

No mantengas otras puertas abiertas. Si tienes a uno o dos hombres más de reserva por si acaso, tu nuevo hombre *percibirá* que los tienes. Si mantienes estas puertas abiertas corres, principalmente, dos riesgos. El primero es que tú no puedes ser dos personas a la vez: una con otro hombre entre bastidores y otra que le pide a su hombre que le sea totalmente leal. Independientemente de lo buena actriz que seas, él percibirá que falta algo. El segundo peligro resulta más obvio. No puedes prevenir todos los accidentes y lo pagarás caro cuando se entere de que todavía te merodean otros candidatos. (Una mujer con la que trabajé se preguntaba por qué «el amor de su vida» la había dejado cuando descubrió que todavía seguía poniendo un anuncio personal tras llevar tres meses con él.)

Algunos hombres tienen el problema de ser recelosos: si has tenido la mala fortuna de estar con un tipo de hombre así, **nunca te tomes una acusación de infidelidad a la ligera**. La más leve sospecha de que estás manteniendo una relación sexual con otra persona o que estás tentando a un hombre constituiría una grave injuria. Presumiendo que éste sea tu hombre y que no te hayas estado viendo con nadie más, responde a cualquier acusación de este tipo como lo harías ante un grave ultraje. Tras explicarle que está equivocado, dile que no te vuelva a acusar jamás o bien tendrá serios problemas contigo. Tienes que ser así de firme por tu propia dignidad y también para poner punto y final a sus miedos. No permitas que adopte el hábito de acusarte o de cuestionarte con sospechas. Los hombres que hacen esto sólo consiguen sentirse cada vez más recelosos. Tu hombre tendrá que aprender a confiar en ti y a creerte a fin de sentirse seguro respecto a tu lealtad. En cualquier relación puede aparecer en alguna ocasión miedo a los celos, pero ocupándote de los pequeños asuntos lograrás que no se vuelvan desproporcionados.

Sé leal a quien realmente es él

Puedes estar segura de la lealtad de tu hombre sólo si sabes que *te* ama, no por el hecho de que seas guapa o de que tengas un buen trabajo, o porque haya muchos hombres que se interesen por ti. Necesita saber que tú sientes lo mismo por *él*.

Desde el principio le has estado demostrando que te preocupas por él y que aprecias lo que tiene de especial —y no sólo sus logros o su condición social—. Necesita saber que continuarías amándolo aunque perdiese algunos aspectos propios de su Apariencia Masculina: su trabajo, su cabello, su gran coche o su cartera. Ahora necesitas hacer algo más que reconocer que es especial: **demuéstrale que eres leal a su esencia especial, que nunca cambiará**, aun cuando sus circunstancias puedan variar mucho.

Cuentas con varios métodos muy simples para conseguirlo:

1. No permitas que vea que lo has escogido por su categoría. Tu hombre se ha pasado toda su vida definiéndose como héroe y ningún héroe quiere sentir que es intercambiable por cualquier otro. Aunque para ti sea muy importante que sea un profesional liberal, o que sea alto, o de buena familia, céntrate en *él*, no en su categoría. Ningún hombre quiere sentir que has escogido estar con él porque satisface tu necesidad de un escolta, un padre para tus hijos, un admirador o un proveedor. Si piensa que lo que buscas principalmente en él es la estabilidad económica o que sea un estudiante de medicina con un futuro brillante, no será lo mismo que si lo quieres a *él*, en lo bueno y en lo malo. ¿Cómo podría sentir que le eres leal si percibe que estarías contenta con *cualquier* médico, o con *cualquier* hombre con negocio propio, o con *cualquier* hombre decente que quiera casarse y tener hijos?

Te sorprendería lo rápidamente que un hombre puede captar que no sólo él, sino cualquiera como él, te serviría; y te sorprendería lo rápidamente que su reacción visceral le dice que se retire y busque a otra mujer capaz de amarle independientemente de lo que sea. Todo hombre quiere creer que su mujer no lo canjearía, aunque pudiese hacerlo, por otro con más dinero o con un futuro más brillante. Una vez que un hombre está convencido de esto, puede tener el tipo de reacción visceral que conduce al matrimonio. Cuando no tiene ese sentimiento, la fobia al compromiso se produce sin explicación aparente.

2. Demuéstrale que le amarías incluso en lo «mejor». Si eres en modo alguno una persona compasiva, te resultará fácil ayudar a tu hombre cuando se sienta bajo de ánimos. Si está presionado por tareas que surgen en el último momento, o uno de sus padres está enfermo, puedes demostrarle el tipo de lealtad que le brindará confianza en ti en el futuro. Ser maternal y comprensiva puede resultar fácil cuando el hombre está sufriendo pero, irónicamente, a menudo resulta mucho más difícil para una mujer demostrar lealtad a un hombre cuando éste está animado que cuando está desanimado.

Vas a descubrir capacidades, oportunidades y dones que tiene tu hombre de los que no eras consciente y éstos representarán un desafío especial para ti. Quizás estés resentida por el hecho de que hay muchas más personas que escuchan a tu hombre de las que te escuchan a ti sólo porque él *es* un hombre. Te das cuenta de que tienen prejuicios a su favor. Cuando él llama al restaurante, consigue la mesa que está junto a la ventana; cuando llamas tú no ocurre lo mismo y la camarera se muestra mucho menos educada. En ocasiones resulta difícil no estar resentida con él por el sexismo existente en nuestra sociedad. En muchos lugares, todavía vivimos en un mundo de hombres, pero, obviamente, eso no es culpa suya.

Sin embargo, puede resultar difícil recordar esto si él consigue ascensos en su trabajo más fácilmente que tú y ahora cuenta con unos ingresos adicionales para montar una oficina en su casa o para hacerse cargo fácilmente de un pariente enfermo. Desearías poder hacer lo mismo. Aunque en ocasiones tú te beneficies de su dinero, en otras puede dolerte darte cuenta de que él tiene estas ventajas. **Procura no permitir que la envidia que puedas sentir te lleve a ser menos leal de lo que podrías ser.** Y ten cuidado también de no tratarlo nunca como si el dinero, por sí solo, pudiese resolver todos sus problemas. Sabes que no es así.

Cuanto más éxito tenga un hombre, probablemente más sensible sea a este aspecto de la lealtad. Un hombre con éxito sabe que las mujeres lo desean. Pero ¿por qué? Se trata de un interés engañoso. Querrá impresionarte con su gran apartamento o con su fantástico trabajo —forma parte de su Apariencia Masculina—, pero ahí está la trampa. A medida que la relación se vaya afianzando, le preocupará que las cosas que utilizó para interesarte sean las únicas que te importen. Los hombres de éxito pueden mostrarse paranoicos respecto a lo que realmente quieres. ¿Eres leal al estilo de vida que puede ofrecerte o eres leal a él?

En mi despacho veo a muchos hombres con éxito que están preocupados por las mujeres con las que mantienen una relación. El problema reside en que estos hombres ya tenían éxito cuando las conocieron. Podrían haber estado convencidos del amor de estas mujeres por ellos como personas si las hubiesen conocido y hubiesen sido escogidos por ellas *antes* de obtener su éxito, pero no era el caso.

Supón que el hombre que te interesa y con el que quieres casarte ya esté bastante bien situado. Presumamos que realmente lo amas y te interesas por él. ¿Cómo puedes convencerle de tu verdadera lealtad hacia él y de que le habrías escogido sin los aderezos que le brinda su éxito actual? ¿Cómo puedes hacer que se sienta irremplazable y que sepa que, aunque lo perdiera todo, tú seguirías con él?

Acuérdate de poner de relieve las *cualidades personales* que hicieron posibles sus logros. Si tiene un negocio exitoso, alábalo por la perseverancia y destreza que lo ayudaron a conseguirlo. Si es un profesional liberal, aprecia el esfuerzo que tuvo que realizar para acabar sus estudios y llegar a dominar un terreno competitivo. Si hace culturismo y quiere que adores sus bíceps, también necesita saber que lo amarías si sus bíceps desapareciesen. Aplaude su voluntad y su disciplina. Dile, si así lo crees, que puede hacer cualquier cosa que se proponga y le estarás demostrando que eres leal a alguna parte de él que siempre conservará.

3. Más importante aún, demuéstrale que comprendes que los retos a los que se enfrenta no son diferentes a los de los demás. Independientemente de lo exitoso o atractivo que sea tu hombre, siempre tendrá sus altibajos, al igual que tú. El hecho de tener más dinero o prestigio no significa que los momentos bajos resulten más fáciles para él.

Tal vez tu hombre esté disgustado porque sienta que se han aprovechado de él en un trato de negocios. A ti te resulta imposible no pensar que ha ganado más dinero de resultas de ese trato del que tú ganarás en un año; aun así, que su socio rompiese la mitad de su acuerdo provocó que tu hombre se sintiese engañado, herido e inseguro de sus propias facultades para juzgar a la gente. Este tipo de incidentes te brindan una oportunidad especial para demostrar que realmente te interesas por él. Reconoce que aunque tu hombre siga manteniendo una posición financiera segura, en estos mismos momentos está sufriendo y eso es lo que cuenta. Ofrécele la compasión y la comprensión que necesita, y, de este modo, demostrarás que eres leal a su persona.

Si lo único que ves es que, de todos modos, es «rico» y debería sentirse feliz con lo que tiene, le estás diciendo que lo que cuenta es lo que *tiene* y no lo que *siente*. De este modo le estarías comunicando no sólo envidia sino también la creencia de que la gente que tiene dinero no se merece ninguna comprensión. Si actúas así provocarás en tu hombre una reacción visceral hacia ti terrible. Sentirá que realmente no te interesas por él, que piensas que su dinero puede solucionar todos sus problemas y que no tienes que hacerlo tú. Si quieres compartir su estilo de vida, debes demostrarle lealtad y eso significa no permitir que su dinero o su éxito sean considerados factores que te hagan mostrarte indiferente hacia él. Muchas relaciones entre personas con niveles de ingresos radicalmente distintos fracasan porque la persona que gana menos siente envidia y carece de compasión.

Cuanto más éxito tenga tu hombre, más duro tendrás que luchar interiormente para verlo como a un igual, pero la única manera de conseguir una relación amorosa duradera con él consiste en darse cuenta, desde el principio, de que él necesita el mismo tipo de amor y de sustento que tú. Si lo sientes de este modo, él lo sabrá inconscientemente y tendrá una reacción visceral maravillosa hacia ti.

Una buena manera de demostrarle a tu hombre que eres capaz de ver más allá de las apariencias externas de su vida es mostrarle que no juzgas *a otra gente* por su condición social. ¿Tratas a un camarero o a un mendigo de la calle con respeto? ¿O acaso tienes una manera distinta de relacionarte con las personas según el éxito que tengan? Tu hombre no es capaz de evitar identificarse con los desvalidos de la vida y si sueles dar la espalda a la gente cuando atraviesa un bache, empezará a preocuparse por tu lealtad.

Cindy, una atractiva mujer de negocios que había estado esforzándose por conocer y casarse con un hombre rico, finalmente pensó que había dado con uno. Luke y ella habían estado saliendo con mucha frecuencia durante cuatro meses. Ella había estado complaciéndole, pero iba sintiéndose gradualmente más preocupada porque le parecía que él se estaba escabullendo. Luke le había dicho en una ocasión que estaba considerando casarse con ella, pero ahora tenía sus reservas. Cuando finalmente le dijo que aquello no era para él, ella le suplicó que viniese a mi consulta sólo por una vez a fin de reconsiderar si todavía tenían alguna oportunidad. Luke consintió.

Quedó claro que Luke era un hombre extremadamente rico que había invitado a Cindy a unas vacaciones espléndidas y le había ofrecido numerosos regalos. A él le preocupaba que ella nunca le hubiera correspondido de ninguna manera, pese a que Cindy tenía muy buenos ingresos. Había persuadido a Luke de que viniese a verme con ella en parte ofreciéndose a pagar por la sesión e incluso por el taxi que los trajo a mi despacho. Cuando llegaron le pregunté a Luke por su participación en la relación. Dijo que nunca podrían hacer que funcionase. «¿Por qué?», le pregunté. «Bueno, permítame que le explique cómo vinimos hasta aquí», contestó. «Cindy dijo que pagaría el taxi. El taxímetro marcaba ocho con noventa, de modo que le dio al taxista nueve dólares y le habló como si ni siquiera fuera un ser humano.»

Cindy no fue capaz de escuchar nada más sin interrumpir. «¿Qué tiene que ver eso con *nosotros*?», preguntó. «Soy maravillosa contigo, hago todo lo que quieres. Siempre me he preocupado por tus sentimientos.» Luke no supo muy bien qué contestar a eso. Intentó explicar que se sintió mal por el taxista. «¿Cómo puedes darle a un hombre una propina de diez céntimos?» Resultó que Luke provenía de una familia humilde; dejó la universidad y luchó por crear una gran empresa empezando desde cero. Ahora tenía empleada a la mitad de su familia en ese negocio. Para él, una cosa era disfrutar volando a algún lugar de vacaciones con Cindy en su avión privado, pero casarse con ella era otra cosa muy distinta. Cindy protestó: «Todavía no lo entiendo. ¿Por qué debería un taxista arruinar algo bonito que tenemos juntos?» Yo hice una interpretación —o una especulación, como prefieras llamarlo—: «Porque Luke *es* ese taxista», le dije. Luke afirmó con la cabeza, aunque Cindy parecía no comprenderlo todavía. Lo expliqué un poco más y, con la ayuda de Luke, clarificamos lo que ambos entendíamos intuitivamente. Luke, como la mayoría de nosotros, podía identificarse con aquel taxista pues él mismo había estado una vez en una posición de esfuerzo y esperanza. Ahora veía a Cindy no del modo en que ella actuaba con *Luke (el hombre de negocios rico)*, sino como podría haber actuado con *Luke cuando era más joven y tenía que luchar*, igual que lo hacía el taxista, a fin de obtener una vida mejor.

Luke había empezado a ver vívidamente lo que ya había intuido: Cindy quería más las cosas externas de su vida que *a él*. Llegados a ese punto, estaba preocupado por todos los aspectos de su lealtad. ¿Mantenían una relación sexual satisfactoria para ella o acaso fingía para continuar con la buena vida? Pero ¿qué ocurriría si las cosas cambiaban, si su negocio fracasaba, se ponía enfermo o sufría un accidente? ¿Estaría a su lado o trataría a Luke como había tratado al taxista? Imágenes de situaciones adversas cruzaban como un relámpago por su mente.

En mi despacho, Cindy se comportó como si estuviese conmocionada. Se apresuró a prometer que daría mejores propinas y trataría mejor a los empleados. Pero nada de esto fue suficiente para Luke. Había visto a Cindy tratar severamente a sus subordinados con demasiada frecuencia y no podía evitar sentirse muy inseguro con ella. Estaba más convencido que nunca de que el interés que Cindy demostraba por él se basaba enteramente en *lo que él tenía* y no en *lo que él era*. Dudaba que Cindy pudiese serle verdaderamente leal, leal al Luke que estaba en su interior y que siempre albergaría una pequeña parte de ese taxista en él.

Cindy podría haber evitado provocar en Luke esa sensación de inseguridad si hubiese seguido unas sencillas reglas para tratar con la gente. Una de ellas es que los hombres que tienen éxito siguen preocupándose con frecuencia por perderlo todo. Están constantemente en alerta para averiguar si eres el tipo de persona que los seguiría amando y contestan a esta pregunta observando cómo tratas a la gente que tiene menos que ellos.

Lealtad a su presentación en público

El hombre de tu vida se ha pasado los años de su edad adulta cultivando una presentación en público de sí mismo. Casi sin lugar a dudas desea que la gente, especialmente sus amigos, lo vean como alguien atractivo, brillante, agudo en su juicio de otras personas y como un buen amante. Además de esas cuestiones casi universales, se enorgullece de ser respetado, incluso admirado, por sus características particulares que tú descubrirás a medida que vayas conociéndolo. Tal vez el buen sentido de la orientación o la sagacidad en la bolsa sean importantes para él. Y si es un hombre bueno, querrá ser considerado una persona amable, solícita y digna de la confianza de sus amigos. Necesita que la mujer de sus sueños le ayude a proyectar esta imagen de sí mismo: **que sea leal ayudándole a presentarse tal como quiere ser visto.**

Si demuestras que eres leal a la imagen social de tu hombre, obtendrás una fantástica reacción visceral. Él suspira por una mujer que ayudará al mundo a verlo bajo la mejor luz posible. A la inversa, su Apariencia Masculina hace que sea extremadamente propenso a sentirse humillado por cualquier cosa que él perciba como un reto público.

Por ejemplo, David, un paciente mío, era un lector prolífico, aunque nunca fue a la universidad. Su nivel de estudios era un punto sensible para él pero, al mismo tiempo, se sentía orgulloso de su manera de expresarse, que a mí me resultaba en ocasiones un poco pedante.

Observé que si otro hombre criticaba la gramática de David en la oficina, se sentía herido. Si era una mujer quien lo corregía, se sentía mucho peor. Y cuando Valeria, la mujer con la que salía de una manera seria, corrigió alegremente su discurso frente a otras personas, se sintió tan herido que casi deseó regresar a casa. Concedo que David reaccionó de un modo exagerado, pero también lo fue que, inadvertidamente, Valeria desafiase lo que David consideraba su derecho a ser un hombre capaz de conversar a un mismo nivel con hombres que habían cursado más estudios que él. Nunca dirías públicamente que tu hombre es un mal amante o que es inhibido, o que últimamente tiene problemas sexuales. Si persistiesen, podrías hablar de estos problemas a solas con una amiga íntima, pero no en su presencia. Comprendes que la *reputación* de tu hombre sobre su adecuación sexual es casi tan importante para él como la proeza sexual en sí misma. A buen seguro el orgullo de tu hombre respecto a su conocimiento en materia de vinos o de los mejores hoteles en los que hospedarse durante un viaje de negocios o en vacaciones, su sentido de la orientación o su destreza para conducir resultará menos obvio.

Algunas de las cosas en las que tu hombre quiere tener una buena reputación pueden parecerte de lo más triviales, pero algunos hombres quieren ser respetados por algunas habilidades o pericias particulares tanto como por su capacidad sexual. A medida que conozcas mejor a tu hombre, sabrás qué rasgos distintivos quiere que otra gente aprecie y admire en él.

Tú misma tienes tus propias áreas en las que quieres que la gente te vea de una manera particular. Tu atractivo personal, tu *sex appeal*, tu gusto en el vestir o tu habilidad para decorar y llevar una casa pueden parecerte los elementos centrales que te hacen deseable. Necesitas que tu hombre no sólo aprecie tu competencia sino también que te ayude a presentarte a ti misma como una persona con éxito en dichas áreas. La lealtad por ambas partes incluye apoyar la mejor presentación de cada uno frente a los demás.

Aunque puedes adivinar algunas de las cualidades obvias de las que tu hombre se enorgullece, no serás consciente de otras hasta que lo conozcas muy bien. No siempre sabrás cómo realzar su valía en la forma especial que él desea, pero es posible evitar lo que él consideraría una deslealtad.

Nunca cuentes públicamente una historia que deje a tu hombre en mal lugar. Deja que sea *él* quien cuente la historia si desea hacerlo y, si se trata de un tipo de hombre relajado, probablemente lo haga. Pero la opción de hacer bromas a su costa debe ser suya. Por supuesto, tienes derecho a estar en desacuerdo con él y a expresar tus opiniones sobre cualquier tema, pero evita hacer afirmaciones negativas sobre él en público, aunque sean en tono de broma.

Si eres capaz de legitimar a tu hombre públicamente por una característica de la que él se enorgullece en particular, le estarás demostrando una lealtad que va más allá de la llamada del deber. Imagina que tu novio, Jon, te llevó a la fiesta puntualmente pese a la oscuridad, la bruma y el aguanieve, con un sentido de la orientación infalible. Si él se enorgullece de sus dotes para la conducción, puede apreciar un cumplido hecho en público por esa habilidad mucho más de lo que lo habría apreciado tu último novio en caso de que no hubiera estado especialmente orgulloso de su forma de conducir.

¿Es toda esta necesidad de lealtad en público otra indicación de la extraordinaria fragilidad de los hombres? Sí, pero ya hemos visto que los hombres son el sexo más débil y ésa es la razón por la que necesitan mucha más lealtad, en sus numerosas formas, que las mujeres.

Intenta no hacer afirmaciones generales que ataquen la imagen de sí mismo que tu hombre quiere presentar al mundo, ni siquiera durante una discusión. En ocasiones esto puede resultar difícil, especialmente si piensas que está equivocado. La clave consiste en combinar una verdadera lealtad con una crítica sincera y bien intencionada.

Brittany, ejecutiva de cuentas en una empresa de relaciones públicas, tenía muchos amigos en una compañía de la competencia en la que Michael, el hombre con el que vivía, trabajaba. Michael necesitaba que el mundo lo viese como alguien extremadamente competente y con más talento que cualquier otra persona, tanto en la realización de su trabajo como en su capacidad de entender a la gente.

Pero Brittany había oído algo distinto. Sus amistades la informaron de que, en su lugar de trabajo, todo el mundo consideraba que era imposible llevarse bien con Michael. En más de una ocasión, cuando Michael le explicó a Brittany historias de la oficina, ella le sugirió que no estaba siendo muy justo con alguna persona. En ocasiones acababan gritándose mutuamente. Brittany no tenía ni idea de qué debía hacer.

Entonces, un día, cuando Michael se reunió en un restaurante con Brittany y con el hermano de ella que iba acompañado de su mujer, explicó que le acababan de despedir. Brittany estaba enfadada y a punto de decir que no esperaba menos que eso, pero también sabía lo sensible que era Michael sobre su habilidad para tratar con la gente. De modo que sencillamente se limitó a unirse a su hermano y su mujer que se compadecieron de él.

En casa, por la noche, Michael presionó a Brittany para que se pusiese de su parte, diciendo que no se trataba de otra cosa que de política y preguntándole qué pensaba ella que podía estar ocurriendo. Ella se resistió a decirle lo mucho que la había decepcionado. Por supuesto que había sido culpa de él; la gente ya la había avisado de que sucedería algo así, pero ella era consciente de una verdad aún más grande: puesto que en aquel momento Michael se encontraba en una situación vulnerable, necesitaba su lealtad mucho más de lo que necesitaba un análisis de su actuación profesional.

Michael percibió desde el principio que él mismo había sido la causa de su propia derrota, y yo creo que sabía que Brittany era consciente de ello. Probablemente, también comprendió que Brittany podía haber dicho cosas hirientes y que, sin embargo, no lo hizo. Durante toda la noche Michael experimentó una maravillosa reacción visceral hacia Brittany, ese sentimiento glorioso de amor por alguien que permanece a nuestro lado cuando el mundo se pone en nuestra contra.

Unos días después, ella empezó a introducir en la conversación la idea de que, en una oficina, la gente puede ser sensible o hasta hipersensible. «Quizá no lo tengas bastante en cuenta.» Unos meses más tarde, Brittany persuadió a Michael para que acudiese a un profesional en busca de ayuda para mejorar sus «estrategias de oficina». Así fue como lo conocí.

En mi consulta, le transmití a Michael que, aunque probablemente tuviese razón respecto a muchas cuestiones creativas, menospreciaba la susceptibilidad de sus colegas a los agravios. La gente sufre mucho más de lo que revela cuando recibe una crítica, y tiene tendencia a huir. Al cabo de poco tiempo, a Michael le iba mucho mejor en su nuevo trabajo. Comprendió cuántas cosas había tenido que soportar Brittany al tratar con él. Estuvo contento de poder recompensar su lealtad examinándose a sí mismo y pronto empezó a obtener el reconocimiento al que su talento le daba derecho. Cuando llegó a comprenderse mejor a sí mismo, también se dio cuenta de lo mucho que Britanny significaba para él. Le pidió que se casara con él y ella aceptó. La lealtad a la imagen pública de tu hombre y a su imagen de sí mismo no requieren que te sacrifiques a ti misma.

A medida que la relación progresa, los problemas de lealtad surgen con menos frecuencia. Cuando tu hombre confíe en ti, apenas tendrás que preocuparte de desatar sus miedos relacionados con la lealtad. Una vez que tu hombre sabe que lo apoyarás ante los demás, será mucho más receptivo a cualquier crítica constructiva que necesites hacerle en privado.

Se vuelve más fácil

Después de que hayan pasado seis meses desde el inicio de la relación amorosa, no tendrás que demostrar tu lealtad del mismo modo. Disfrutarás más de la libertad y la confianza que te mereces. Al principio, cuando tu hombre todavía está asustado ante la idea de hacer la mayor inversión de su vida (amarte y comprometerse contigo), verá sombras de posibles deslealtades aunque tú sepas que no tiene motivo para preocuparse. La llamada telefónica de tu ex marido, la noche que pasaste con tus dos viejas amigas, la conversación con un hombre en una fiesta, pueden enervarle un poco. Querrá saber al menos alguna cosa de lo que se dijo y harías bien en explicárselo aunque no te lo pregunte.

Durante esta primera etapa, los malentendidos relacionados con la lealtad pueden desembocar en discusiones. Quizá se sienta inquieto cuando estés firmemente en desacuerdo con él, incluso en privado, y tal vez incluso le parezca desleal que te olvides de alguna pequeña cosa que prometiste hacer por él. A medida que desarrolléis una confianza mutua, pasaréis juntos más horas dichosas y momentos agradables, en los que la lealtad, tuya o suya, ya no sea motivo de preocupación.

Existe, en todo esto, un factor curioso que deberías conocer. Lo que resulta crucial para superar estas preocupaciones relativas a la lealtad no es sólo lo que tú haces, sino lo que *él mismo* hace. Si él continúa hablando elusivamente y no se compromete contigo —por ejemplo, si se niega a decirte «te quiero» o incluso «hoy te he echado de menos», si nunca habla de planes a largo plazo, si no te presenta a sus amigos o intenta conocer a los tuyos—, continuará preocupándose *por tu* lealtad. ¿Te parece contradictorio? No lo es. Tenemos que zambullirnos en el compromiso para poder confiar en otra persona. Tras decirte «te quiero», confiará más en ti de lo que podría hacerlo si no te lo dijese. Ésta es la razón por la que, a tu propio ritmo, requieres pedirle compromisos, por pequeños que sean. En un momento determinado, quizá tengas que exigir los compromisos que necesitas. No se trata sólo de que tú precises esos compromisos, sino de que él también los necesita si es que alguna vez va a quererte y, con el tiempo, comprometerse más contigo.

La necesidad de lealtad de tu hombre, al igual que el resto de sus cuatro necesidades básicas, nace de una fuente emocional profunda. No siempre es justa y no siempre serás capaz de satisfacerla, pero consuélate sabiendo que las necesidades de lealtad de los hombres son siempre predecibles. Siempre supiste que a los hombres les importa la lealtad sexual, pero la necesidad de lealtad de tu hombre en otras áreas resulta igual de imperiosa. Quiere que lo ames incondicionalmente y quiere que ayudes al mundo a verlo bajo la luz más favorable posible. Su Apariencia Masculina adquiere mucha fuerza en el terreno de la lealtad. En algunos casos, no querrás darle todo lo que quiere y, en primer lugar, tendrás que ser leal a ti misma. No obstante, cuando te sea posible demostrar lealtad sin que sea a tus expensas, obtendrás unas reacciones viscerales maravillosas de tu hombre y eso hará que disminuya su miedo a comprometerse contigo.

5

Dame el amor que tanto me avergüenza pedir

La cuarta necesidad básica de tu hombre: la proximidad emocional

La cuarta necesidad básica de tu hombre es la de la proximidad emocional. ¿Una necesidad obvia? Para ti, sí. En tu caso, tener intimidad con un hombre es, claramente, algo fundamental. Has soñado con un alma gemela con la que poder compartir todos tus sentimientos: felicidad, ilusión, e incluso pena. Si alguna vez has amado a un hombre que no mostrase proximidad, sabes que ninguna otra forma de existencia resulta más solitaria o más pobre. Para ti, la vida sin amor parece estéril. No tendrías dificultad en admitir lo decepcionada que te sentirías si nunca encontrases a un hombre con el que compartir los momentos íntimos de tu vida.

A nivel superficial, tu hombre puede parecer muy distinto a ti respecto a este tema. Debido a su Apariencia Masculina, quizá parezca que no necesita la misma profundidad o continuidad en la intimidad que tú. Los hombres hablan como si las relaciones o los momentos especiales de la vida no les importasen de la misma manera que a las mujeres. Con frecuencia, en las comedias y en los chistes se presenta a los hombres escabulléndose para alejarse de alguna novia, mientras que las mujeres aparecen explorando obsesivamente el significado de las relaciones. Tal como hemos visto, los intercambios emocionales pueden resultar tan abrumadores para tu hombre que tal vez necesite tomarse pequeños descansos regularmente.

Pero no te dejes engañar. No importa lo que él te diga; en su corazón se siente tan solo y está tan desesperado por entablar una relación como tú. No es la fuerza lo que le impide hablar sobre lo mucho que necesita el amor, sino la *debilidad.* A causa de su Apariencia Masculina, tu hombre ha caído en una terrible trampa. Lo que más quiere, también le causa temor. De todas sus necesidades básicas, **la necesidad de intimidad de tu hombre es la más fuerte, pero también es la que le resulta más vergonzosa.**

Tu reto consiste en comprender la razón por la que tu hombre se resiste a su necesidad de intimidad y lo que puedes hacer a fin de ayudarle a superar su miedo. Puedes ayudarle a alcanzar el lugar desde el cual no tenga que reafirmar su independencia huyendo de lo que secretamente desea tanto como tú (amor y matrimonio).

De qué modo su Apariencia Masculina inhibe su intimidad

La camisa de fuerza que tu hombre ha consentido en ponerse —su Apariencia Masculina— causa los peores estragos en el reino de la intimidad. ¿Cómo puede expresar su afecto cuando considera que es un signo de debilidad e incluso de castración? Probablemente, cuando empezó a reducir las expresiones de intimidad tenía cinco años o incluso menos. Ya estaba practicando el papel de héroe que todavía cree que debe ser. En su esfuerzo por demostrar al mundo que era un hombre y no el pequeño «niño de mamá», dejó de depender de la madre y de buscar el consuelo que ésta le ofrecía. En lugar de ello, prefirió hacer frente estoicamente al mundo y, tal vez después, volver y proteger a su madre, recompensándola por su fe en él por medio de hechos, más que demostrándole ternura o afecto.

Cuando llegó a la adolescencia, veía los mismos estereotipos que tú. Copiaba a los hombres, que eran fuertes y silenciosos, mientras que las mujeres lloraban y hablaban de sus emociones. Veía cómo algunos chicos eran objeto de burlas por parecer demasiado emocionales y tal vez incluso él se unió a esa mofa, separándose, de este modo, todavía más de su propia vida emocional.

Desde entonces, ha estado viviendo sumido en una contradicción. Su Apariencia Masculina no es verdaderamente muy profunda. Nunca ha superado su necesidad básica de afecto, que es en él tan fuerte como en ti; pero, en su mente, un «hombre verdadero» no debería haber estado tan solo o haberse sentido tan incompleto como se ha sentido él a lo largo de estos años. La mayoría de los hombres se avergüenzan tanto de su necesidad de intimidad que no admitirían, ni siquiera ante sí mismos, lo mucho que la anhelan.

Ahora que has llegado tú, puede que esté secretamente encantado de tener, por fin, la ocasión para hallar la intimidad que desea con tanta vehemencia, pero su Apariencia Masculina le impide reconocerlo. Indudablemente, no puede explicarle a sus amigos lo que siente por ti. La Apariencia Masculina de los hombres les inhibe de tal forma que son incapaces de explicar ni tan siquiera a sus mejores amigos lo que más necesitan y quieren encontrar en una relación amorosa.

Después de que tu hombre pase una noche contigo y los dos os sintáis muy cerca el uno del otro, quizá le confiese a algún amigo que el sexo fue fantástico, pero, aunque sea cierto, ¿cuántos hombres tienen el valor de decirle a un amigo: «Llevaba toda la vida anhelando esta intimidad. Soy afortunado por haberla encontrado. Me siento más fuerte y mejor respecto a toda mi vida»? Te estás enfrentando a la Apariencia Masculina en su máximo apogeo.

Tu hombre piensa, tal vez correctamente, que cualquier conversación sobre un tema emocional le dejaría en mal lugar delante de «los chicos», quienes ocupan un lugar demasiado preeminente en su cabeza. En el club de *backgammon* al que pertenezco, y cuyos miembros son mayoritariamente hombres, las mujeres llaman constantemente a sus novios o maridos para hablar sobre cosas que tienen que hacer juntos y confirmar los planes para la noche. Muchas de las mujeres preguntan: «¿Me quieres?», una pregunta a menudo provocada por el tono de voz distraído del hombre. El hombre, cuya parte de la conversación todos podemos oír, no quiere contestar «te quiero mucho» calurosamente porque estamos escuchando, de modo que responde «claro» y mantiene una conversación vaga. O si tiene que decir «Sí, te quiero» lo dice con un tono afectado de aburrimiento a fin de que nosotros, escuchadores furtivos involuntarios, sepamos que lo ha dicho bajo coacción.

Por supuesto, todo esto es muy duro para ti. Tu hombre todavía finge que no necesita tanto afecto como tú, pero la verdad es que sí lo necesita. Tiene dificultades para expresar sus sentimientos incluso a ti, porque decirte lo importante que eres para él sería como confesar una debilidad.

Su Apariencia Masculina hace que le resulte difícil pronunciar palabras cariñosas, incluso cuando estáis los dos solos. No se trata de que le cueste encontrar las palabras; se trata de que *decirlas* le forzaría a admitir cuánto necesita esa intimidad, lo solo que ha estado y cuánto desea no sentirse solo —es decir, cuánto te quiere—. Quizá diga muchas cosas durante la relación sexual, pues es algo que puede racionalizar fingiendo ante sí mismo que sus palabras son la expresión de una pasión momentánea más que declaraciones de una verdad perdurable. O, en otros momentos, puede fingir ante sí mismo que *tú* le exiges una expresión íntima. Puede pronunciar lo que realmente siente mientras se engaña a sí mismo diciéndose que sólo está expresando lo que tú quieres oír. Haría cualquier cosa para ocultar sus necesidades de intimidad, incluso a sí mismo. En lo tocante a aceptar nuestras propias necesidades, nosotros, los hombres, somos sin lugar a dudas el sexo más débil. Su conflicto es que tú has cambiado su vida, pero nadie debe saberlo, ni tú ni siquiera él mismo.

Con todo esto en su mente, ¿cómo conseguir que se abra y exprese la intimidad que siente contigo pero que le asusta? Puedes hacer cosas muy concretas a fin de fomentar la intimidad que lo ayudarán a superar su miedo y lo liberarán para buscar en ti el afecto de un modo más abierto.

Los detalles son el trampolín hacia la intimidad

Todo hombre desea ser famoso para la mujer a la que ama, aunque no pueda ser famoso para el mundo. Cuando alguien es famoso, los pequeños detalles de su vida son importantes. Su viaje cuenta. Tal vez nadie organice visitas guiadas hasta la casa de tu hombre para decir: «Joe vive aquí». No habrá ningún titular en el diario que diga «el veintisiete de agosto es el cumpleaños de Joe», pero tu hombre quiere que, al menos la mujer de sus sueños lo sienta un poco así.

Desde el principio has estado atenta a los detalles de su vida. Has intentado identificarte con él en todo lo que has podido y, al hacerlo, has sido capaz de transmitirle una fuerte lealtad. Ahora, a medida que la relación se va afianzando, puedes ir más allá. Hacia el tercer o cuarto mes con él ya habrás superado una primera etapa de conocimiento. A estas alturas conoces sus prioridades y le has hecho ver que sabes cuáles son. A fin de que la intimidad crezca necesitas demostrarle que tienes una imagen mental de su vida, que tienes una conciencia real del lugar al que se dirige.

Los amigos ocasionales pueden ayudarle a celebrar los acontecimientos importantes y obvios de su vida, pero tu interés especial por él te permite compartir los pequeños —pero muy significativos— momentos a lo largo de su camino, momentos que sólo alguien que tenga la intimidad que tú tienes con él puede comprender.

Por ejemplo, te ha comentado que el éxito obtenido con un cliente determinado le brindará un ascenso en su trabajo. El hecho de que las cosas le vayan bien con su cliente es mucho más importante para él de lo que le ha confesado a nadie más. El viernes el cliente lo llamó a casa y, tras hablar de negocios, estuvieron charlando calurosamente sobre deportes durante media hora. Tu hombre ha estado inquieto todo el fin de semana porque ha deducido que le va tan bien con este cliente que hasta se están haciendo amigos. Realmente, parece que está en el buen camino para alcanzar un nuevo grado de éxito.

Has sufrido junto a tu hombre los momentos de duda y ahora puedes compartir su felicidad por este detalle aparentemente pequeño: una llamada telefónica inesperada. Sientes, con él, la enorme relevancia del sentimiento que tiene de ser muy bueno en su trabajo y de que no tendrá que volver a dudar de sí mismo nunca más. Has vivido con él un pequeño pero significativo momento del que nadie más en su vida sabía nada.

Quizá, recordar los pormenores de la vida actual de tu hombre —los matices, los detalles— sea algo que a ti te resulte natural, pero, si no es así, toma nota para recordar los nombres de las personas de las que él te habla. Es cierto que quizá quiera mantener relaciones contigo aunque no te acuerdes del nombre de nadie, ni siquiera del suyo, pero ese tipo de intimidad no es el que sustenta las relaciones.

Obviamente, no recordarás todas y cada una de las cosas que mencione, pero si tiene que decirte tres veces que realizará una importante presentación el día catorce de este mes, a la tercera vez quizá sienta que no estás realmente con él. Por otra parte, si cuando llega el gran día lo llamas temprano por la mañana para decirle: «Sé que lo vas a hacer de maravilla. Has trabajado muy duro», probablemente signifique más para él de lo que jamás confiese. Obtener este grado de atención ha sido siempre su deseo secreto, del mismo modo que lo ha sido para ti, pero su Apariencia Masculina no le ha permitido pedirlo.

Si es dueño de su propio negocio, tal vez no te acuerdes del nombre de algún cliente que no le pagó hace tres meses y que le causó una gran decepción, pero la intimidad requiere que recuerdes que *hubo* un cliente que lo engañó, que tuvieron una discusión al respecto y que te acuerdes de algún detalle.

Con el tiempo, tu hombre empezará a advertir que te preocupas más por las cosas que son importantes para él que cualquier otra mujer anteriormente. Poco a poco irá construyendo el sentimiento de que, cuando está contigo, está «en casa». Contigo se sentirá más importante —más «famoso»— que con cualquier otra mujer a la que haya conocido. Cuando otros sistemas no han funcionado, ¿cómo podría no querer más y más de éste? Poner fin a la relación amorosa contigo significa arriesgarse a quedarse sin hogar en un sentido emocional profundo. ¿Por qué debería volver a empezar de nuevo en un territorio inhóspito con una mujer que quizá no sepa o no le importe quién es verdaderamente él?

Por supuesto, a medida que la relación progrese, tienes derecho a esperar que él también se interese por los detalles de tu vida y que conozca tus prioridades. Debido al entrenamiento al que ha sido sometido para limitarse a «las cosas importantes», probablemente no sea tan sensible como tú a los pormenores, pero puede aprender. No le permitas que actúe como si lo que cuentas sobre ti o tus amigos fuesen cotilleos triviales.

Es probable que tu hombre sienta que la cuestión de la intimidad supone una amenaza directa a su Apariencia Masculina, pero si la relación tiene que prosperar, tendrá que interesarse por ti de un modo del que no querría que sus amigos tuviesen conocimiento.

Tiene que expresar la intimidad a fin de sentirla

Puedes ser íntima y querer una relación amorosa, pero no puedes crearla tú sola. Más que en cualquier otro aspecto de la relación amorosa, tu hombre debe hacer aquí su propia contribución. Es casi seguro que se interesa por ti puesto que, de no ser así, no pasaría tanto tiempo contigo. Pero si deseas que ese interés alcance el nivel de amor que conduce al matrimonio, mantén en la mente que, en sí mismo, ese interés no es suficiente. **Tiene que dar un impulso a sus sentimientos a fin de hacerlos crecer.** Bastará con que exprese su interés con palabras y actos para empezar a verlo como algo real y a aceptar la profundidad de lo que siente. Goethe, el gran escritor alemán, dijo en una ocasión: «Aquello que nutrimos en nuestro interior crece».

Un hombre puede amarte en determinados momentos pero, si a medida que la relación continúa no expresa una intimidad creciente, su interés disminuirá. Lo que *no somos capaces* de nutrir en nuestro interior muere. Puedes conducir a un hombre hacia la intimidad, pero no puedes abocarlo a ella. Él mismo tiene que emprender alguna acción. **Tu hombre tiene que establecer determinados compromisos con la intimidad a fin de reforzar su amor y tú debes animarle a hacerlo.**

Al inducirlo a esos compromisos, o exigirlos si es necesario, desempeñarás un papel crucial a la hora de decidir si él convierte su interés en un amor perdurable o no.

El primer compromiso que necesitas de tu hombre es gigante, pero no le costará nada, excepto tal vez algo de vergüenza. Es un compromiso del que no puedes prescindir. Es el compromiso de las *palabras*. Por difícil que pueda resultarle, tu hombre debe utilizar términos cariñosos: decirte cosas que te hagan sentir especial. Necesita decirte lo que piensa sobre ti y, al cabo de un tiempo, debe decirte que te quiere. Tiene que hacerlo por su propio bien (además de por el tuyo), porque a través de ese mismo acto comprenderá y *sentirá* lo especial que eres.

No lo excuses por no expresarte con palabras lo que siente por ti. Las mujeres poseen un centenar de tretas para engañarse a sí mismas cuando, en el fondo, saben que su hombre no está diciendo lo que ellas quieren oír. No le eximas, ni siquiera en tu propia mente, diciéndote: «En realidad me quiere, pero le da demasiado miedo decírmelo» o «Sencillamente no está acostumbrado a la intimidad» o «No es un tipo de hombre de los que expresan sus sentimientos». Admítelo. Si es así, te sentirás despojada. No habilites de este modo a un hombre que emocionalmente es un tacaño.

No le permitas que salga impune con su «¿Acaso no es obvio lo que siento?» No, no lo es. Y aunque lo fuese, ¿por qué no iba a decírtelo? Si no lo hace, está nadando entre dos aguas y, a la larga, o bien se irá o, quizá peor, irá al altar a regañadientes, como si lo hubiesen arrastrado hasta allí con cadenas.

No es sólo que te esté privando de algo; se está privando *a sí mismo* de la oportunidad de amarte más profundamente. Tiene que decirte que le importas a fin de que le importes más. Su *utilización* de términos cariñosos y la expresión de su amor con palabras es una apuesta necesaria por ti, por la intimidad y por vuestro futuro juntos.

La mujer que reclama que su amante le hable con ternura es consciente de una verdad importante. **El hecho de que tu hombre te diga cuánto le importas es, en sí mismo, un compromiso contigo y con el amor.** Constituye un trampolín hacia el matrimonio.

Del mismo modo, necesitas cumplidos y **él necesita hacértelos a ti.** Obviamente, si este hombre alberga sentimientos hacia ti y le atraes, en algunos momentos se sentirá conmovido por cosas que le gustan: tus labios, tus ojos, cómo te sienta un vestido en particular o por lo atractiva que eres en general. También en este caso la expresión de todas esas cosas pondrá de relieve sus sentimientos por ti. Si cuando se siente conmovido por ti no dice nada, está permitiendo que el momento, el sentimiento, desaparezca rápidamente. Necesita hacerte cumplidos para intensificar sus sentimientos positivos para así amarte más y conseguir que cada nuevo nivel de compromiso resulte fácil y natural.

De nuevo aquí, su Apariencia Masculina puede obstaculizarle el camino. Lo que en los hombres puede parecer timidez ante las mujeres es, en realidad, un miedo a mostrarse emotivo o abrumado. Es casi como si tu hombre sintiese que, si te dice lo atractiva que eres o lo maravilloso que es estar contigo, perderá su identidad y no habrá vuelta atrás.

Por supuesto, en realidad siempre puede dar marcha atrás, pero su negativa a hacerte cumplidos es, en sí misma, un retroceso o, más concretamente, una forma de no empezar nunca. El hombre que jamás te hace cumplidos probablemente no se casará contigo. El hombre que sí los hace al menos está aceptando las razones que lo han llevado a enamorarse de ti. Qué duda cabe de que los cumplidos pueden ser falsos (cualquier cosa puede serlo), pero no utilices este hecho como una excusa para no requerirlos.

En la misma línea, necesita ser *generoso* contigo a fin de profundizar en su amor. Una cosa es permitir que se sienta relativamente libre de responsabilidades, pero no tomar *nada* de tu hombre es un error estratégico tan grande como tomar demasiado. Permitir que tu hombre invierta en ti le ayuda a valorarte juiciosamente. Es verdad que, si invierte demasiado, se sentirá resentido contigo, pero a estas alturas ya eres consciente de la necesidad de equilibrio en la relación.

Él tiene que contribuir a fin de sentir que vuestra relación amorosa es muy preciada. Si nunca hace nada por ti, si lo da absolutamente todo por sentado, no podrá establecer un vínculo serio contigo.

Si tu hombre *quiere* pagar unas vacaciones, o enseñarte algo que tú quieres aprender o arreglarte alguna cosa, tienes que dejarle hacer por lo menos alguna de estas cosas. Amamos a la gente a la que hacemos feliz, a las personas cuyas vidas mejoramos. Hazle saber que está mejorando tu vida mediante las inversiones en amor y en interés por ti que libremente ha realizado y querrá seguir haciéndolas. Empezará a pensar en ti como su base principal.

Fomenta la gama emocional

A medida que os vayáis familiarizando con los detalles de la vida de cada uno de los dos, hablaréis con mayor facilidad. Probablemente, tu hombre se está abriendo un poco más respecto a sus sentimientos. Para él, este fácil flujo emocional puede constituir un nuevo lujo. Está teniendo una experiencia que puede parecerle más natural, permisiva y excitante que cualquier otra que jamás haya tenido. No se trata sólo de que tú te intereses por él, sino también de que él descubre que se siente libre contigo.

Es probable que tu hombre haya dejado a otras mujeres en el pasado porque *se sentía menos él mismo con ellas* que cuando estaba solo o con sus amigos. La aventura romántica, que verdaderamente apreciaba, demostraba tener demasiados costes emocionales. No pudo ser él mismo con las pocas mujeres que le importaron porque temía que, si se abría a ellas, de algún modo se sintieran decepcionadas. Sus intereses y expectativas lo confundían.

A largo plazo, tu hombre no era capaz de desarrollar una intimidad con esas mujeres porque no sabía lo que querían, salvo que era más de lo que él podía ofrecerles. Percibía que no era lo suficientemente atento, que no las comprendía lo bastante o que no se comunicaba con ellas lo necesario. Sentía que hacía todo lo que podía, pero siempre quedaban misterios por resolver. Al principio, esos mismos misterios lo fascinaban, pero después lo dejaban con una sensación de que la recompensa no justificaba el esfuerzo, el sacrificio o la confusión.

Quizás, a medida que la relación con cada una de estas mujeres se iba haciendo más seria, haya tenido la sensación de que si no había fracasado ya, lo haría pronto si no se esforzaba más. La Apariencia Masculina de tu hombre lo dejó con el sentimiento de que los intercambios emocionales son amenazadores y están llenos de peligros y críticas. Tal vez todavía conserve algo de ese sentimiento. Ésta es, en parte, la razón por la que aún necesita algunos períodos de descanso tras los intercambios emocionales intensos contigo.

Si quieres que él te vea como alguien diferente a las demás mujeres de su vida, aprovéchate de esta nueva libertad de la que disfruta contigo, reálzala y permítele sentirla como *un éxito emocional.* Puedes disipar su sentimiento de haber sido un fracaso emocional haciendo que su vida emocional contigo sea tan fácil como lo es con sus amigos, salvo que contigo tiene todo el resto. Permítele ver que no hay nada confuso en tus expectativas emocionales. Quieres un intercambio abierto y sincero, y las cosas no tienen por qué salir siempre como tú quieres.

Demuéstrale que no tiene que medir cada palabra que te diga. No le des vueltas a todo. Intenta no mostrarte ofendida o enfadada por las cosas que diga, aunque se trate de algo que te haya disgustado en un momento dado. Si te sientes tan enfadada o herida que no puedes perdonarle algo, intenta hablarlo con él. Recuerda que, en caliente, todos reaccionamos de manera exagerada. Quizá sea eso lo que estés haciendo. Dale tiempo a tu herida. Si todo va bien, hallarás el modo de continuar con él.

Tampoco te aferres a los buenos momentos con él; sencillamente disfrútalos. Deja que tu hombre vea que no tienes ningún deseo de forzar enormes compromisos por su parte tras haber sido objeto de una muestra momentánea de atención. No esperes que te proponga casarse contigo por haberte dicho algo bonito para que así pueda decirlo con facilidad. Incluso durante un día dichoso juntos, puede ponerse serio de pronto, si necesita hacerlo. Bríndale la confianza para que, si da un paso en falso, pueda arreglar las cosas al instante.

Esta gama emocional en el amor le resultará excitante —y nueva—. Necesitará tiempo para creérselo porque su Apariencia Masculina probablemente lo haya convencido de que debe mantener una línea emocional regular y que será responsabilizado de inmediato por todo lo que diga. Contigo descubrirá algo que tú has sabido siempre: que la verdadera emotividad fluye constantemente. Aumentará su intimidad contigo porque tendrá una mayor intimidad consigo mismo y se aceptará de un modo que hasta ahora no había experimentado. Se permitirá tener los rápidos cambios de estado de ánimo que su espíritu necesita. Si es capaz de disfrutar su propia gama emocional contigo, no querrá renunciar a ti. Con el tiempo, los intercambios emocionales le parecerán menos gravosos.

Crea una atmósfera en la que el tema de conversación pueda cambiar rápidamente, en la que cualquiera de los dos pueda pasar de un tema serio a otro divertido, después a algo irrelevante y finalmente volver al tema serio de nuevo. La clave consiste en la *disponibilidad emocional,* que es la habilidad para responder a los estados de ánimo y las necesidades de la otra persona.

Estáis regresando de una fabulosa fiesta, os sentís jubilosos y, entonces, él recibe una llamada telefónica que precisa que tome una decisión de suma importancia con rapidez. ¿Eres capaz de unirte a él en su preocupación, compartir su intensidad, ayudarle a tomar la decisión? ¿O te negarás a cambiar de humor y te enfadarás con él por haber estropeado la velada? Permítete cambiar de estado de ánimo cuando la vida cambia. Trabaja para mejorar tu disponibilidad emocional. Cuando tu hombre vea que eres emocionalmente flexible, percibirá que puede sentirse libre de cargas contigo. Por otra parte, si siente que no puedes cambiar de marcha emocional, temerá que el matrimonio contigo sea un constante esfuerzo cuesta arriba.

Eduardo, un joven dominicano que vivía en Nueva York y que ya estaba acabando su período de cirujano interino de un hospital, hacía seis meses que salía con Liz, una neoyorquina. Se habían enamorado rápidamente. Liz estaba encantada, pero para Eduardo la relación presentaba un problema. El sueño de toda su vida había sido el de llevar la cirugía moderna a las regiones subdesarrolladas de su propio país.

A Liz le gustaba esta visión romántica de Eduardo y sus amigos estaban muy impresionados de que fuese cirujano, pero la negativa de Eduardo a casarse la frustraba. Cuando él dudó en aceptar algunas lucrativas ofertas para trabajar de cirujano en Nueva York, Liz se sintió decepcionada. Le urgió:«¿Por qué no te conviertes en un cirujano rico aquí y consigues el dinero para hacer algo realmente bueno allá?» Liz estaba acostumbrada a que los hombres le ofrecieran lo que ella quería. Había sido ella la que había rechazado a otros porque le había parecido que no eran lo bastante buenos, pero con Eduardo tenía miedo a la derrota.

Entonces, llegó la llamada telefónica. Se encontraban en medio de un fin de semana que Liz había planeado al detalle. Habían pasado el sábado por la tarde con unos amigos, haciendo una excursión en barco alrededor de Manhattan. Aquella noche habían salido a cenar y al teatro. Liz se quedó en el apartamento de Eduardo y planeaban encontrarse con otro grupo de amigos de Liz para jugar al tenis y tomar el almuerzo juntos el domingo a las once. Pero el domingo por la mañana, temprano, el mejor amigo de Eduardo en Nueva York, Rafael, le llamó para decirle que a él y a su mujer se les había incendiado la casa por un cortocircuito. El fuego había destruido la mitad de la casa, la cual estaba repleta de electricistas y bomberos que intentaban asegurarse de que no había riesgo.

Eduardo dio por sentado que Liz correría a casa de Rafael con él y se quedó perplejo cuando Liz pareció enfadada, incluso *traicionada*, por su deseo de marcharse al lugar del suceso. Al principio protestó: «Los bomberos se están ocupando de ello. ¿Qué podemos hacer nosotros?» Eduardo le dijo enfadado que se fuese a jugar al tenis con sus amigos; aunque ella cambió de parecer y se fue con él, Eduardo no podía borrar de su mente la reacción inicial de Liz. La preocupación de que si se quedase a vivir con Liz abandonaría a su propia gente en la República Dominicana, se intensificó. Sentía vivamente que Liz no sabía quién era en realidad y que no la tendría a su lado cuando se enfrentasen a los desafíos que presenta la vida.

Eduardo se sentía bloqueado por la preocupación de que no podría contar con ella cuando la necesitase. Eduardo, que era mi paciente, me pidió que viese a Liz porque estaba muy inquieto, no sólo por este incidente, sino por otros desalentadores malentendidos similares entre ellos.

En mi consulta, a medida que Liz iba hablando, advertí que no podía ser evaluada, sencillamente, como una persona egoísta. Era, más bien, inflexible. Carecía de la capacidad de *disponibilidad emocional* que permite a una persona alterar una perspectiva a fin de mantener la armonía con otra persona. Supe que Liz había sido la hija única de una madre soltera que padecía ansiedad. Su madre había sido una profesional de éxito, de naturaleza no particularmente afectuosa y que se había consagrado a la eficacia a costa de los sentimientos. De niña, Liz nunca había experimentado la disponibilidad emocional y ella misma no la había desarrollado mucho.

Lo que le ocurría era que, sencillamente, no era capaz de cambiar la longitud de onda y vi que esto la privaría de intimidad durante toda su vida, a menos de que desarrollase una mayor flexibilidad. Eduardo, por otra parte, había crecido en una casa grande, con muchos hermanos, tíos, tías y sus abuelos que estaban presentes a diario. Cambiaba de marcha cuando iba del colegio al trabajo que hacía por las tardes, cuando jugaba con sus amigos, cuidaba a algún hermano o hermana menor o ayudaba a un pariente mayor. Para él, el rápido intercambio de estados de ánimo, de carácter, de amor, de lucha, de risas y de aprendizaje constituía su pan de cada día. Eduardo comprendió que había estado sintiendo vagamente que la rigidez de Liz le privaría del tipo de vida que él quería y la única que conocía, una vida que fluye y en la que existe la intimidad.

Más tarde, en mi consulta, comprendió que podría haber estado dispuesto a establecerse en Nueva York si la mujer con la que estaba hubiese sido lo bastante flexible para aceptar que él persiguiese su sueño en algún momento del futuro. Eduardo consideró la reacción de Liz a la llamada telefónica un microcosmos de desastres que estaban por llegar. ¿Cómo se sentiría Liz si dentro de cinco o de diez años le pidiese que pasasen una parte del año en la República Dominicana? Le pareció que con Liz todo acabaría convirtiéndose en una discusión: cómo educar a sus hijos, con qué familiares pasarían su tiempo... Su inflexibilidad emocional representaba una amenaza para Eduardo, quien tanto valoraba que las cosas fluyesen fácilmente en la vida.

Al principio, Eduardo quiso romper con la relación en ese mismo instante, pero le ayudé a ver que aunque Liz no estaba todo lo emocionalmente disponible que podía, él estaba siendo bastante impaciente con la mujer que amaba. El amor de nuestra vida difícilmente llega a nosotros ya hecho. Tal vez, si hablaba más del problema con ella, conseguiría desarrollar más su flexibilidad. Al final resultó que Liz y Eduardo se amaban el uno al otro lo bastante como para solventar el problema.

A menos que desarrolles tu disponibilidad emocional, no será posible que conserves el amor del hombre al que quieres. Siempre estarás inhibida por un elemento formal y autómata de tu naturaleza. El intercambio entre lo bueno y lo malo que requiere el amor puede llegar a una velocidad inesperada. Sólo dos personas que tengan esta capacidad de disponibilidad emocional pueden crecer verdaderamente juntas. A menudo me ha parecido que la frase «amad, celebrad y *evolucionad juntos*» debería formar parte de la promesa oficial del casamiento, puesto que una de las principales causas del fracaso es la incapacidad de una persona de estar disponible para la otra y de crecer junto a ella.

La revelación personal como camino hacia la intimidad

A medida que tu hombre pruebe las aguas de la intimidad, se irá acercando a ti. Empezará a revelarte secretos personales que son preciosos y veleidosos. Sin decírtelo, o incluso sin saberlo conscientemente, está empezando a invertir en ti como la mujer con la que tiene la intención de estar para siempre. Las relaciones amorosas se consolidan o se rompen en estos momentos.

Desde el principio, has estado animando a tu hombre a que te hablase de lo que era importante para él pero, incluso cuando ha empezado a confiar en ti, su Apariencia Masculina ha hecho que se comporte con una cautela excesiva. Tú estás acostumbrada a divulgar hechos embarazosos sobre ti misma. Tú y tus amigas mantenéis conversaciones ligeras sobre de qué modo os enredasteis con algo, sobre cosas que lamentáis haber hecho o no haber hecho, pero él ha sido entrenado para ocultar ese tipo de información. Su Apariencia Masculina le ha impedido explicarte algunos detalles de su vida que piensa que le harían parecer menos hombre de lo que crees que es.

Una de las cosas que tiene cualquier tipo de apariencia es que es necesario mantenerla si no quieres parecer un fraude. Para él resulta difícil perder ahora el control y explicarte hechos que, a su parecer, lo desacreditarían. A medida que vuestra relación se hace más profunda, probablemente *quiera* decirte más, pero se preguntará: «¿La conozco lo bastante bien? ¿Me seguirá aceptando? ¿Podrá seguir queriéndome si le explico algunas cosas determinadas?» De nuevo siente que se encuentra en la posición más débil y, a causa de su apariencia, de algún modo lo está.

El problema reside en que, si con el tiempo, sigue ocultándote cosas, eso le impedirá darte la bienvenida a su vida. ¿De qué modo podría verte como a *la mujer que lo aceptará a pesar de todo* si no te cuenta el «todo»? Si tras un tiempo determinado continúa a la defensiva, tu hombre se convencerá de que no eres, realmente, una mujer especial sino que, como cualquier otra mujer, sólo estás más que dispuesta a juzgarlo adversamente.

Ahora estás lista para llevar la disponibilidad emocional a un nivel superior. Márcate el objetivo de lograr un ambiente en el que tu hombre pueda ver que no va a ser criticado por ti, casi independientemente de lo que te diga sobre sí mismo. Acuérdate del valor de ser positiva con la gente en general. ¿Cómo va a decirte que una vez estuvo casado por un breve período de tiempo si tú criticas a todos tus amigos divorciados por haber hecho elecciones estúpidas o equivocadas? Si dices que la gente de tu oficina no tiene agallas cuando no se ofrece para conseguir ascensos que representan un desafío, tu hombre no se apresurará a decirte que rechazó un buen trabajo porque no se sentía lo suficientemente preparado.

Si tienes la costumbre de decir que una persona de cada tres es una perdedora o una cobarde, obviamente tu hombre no estará demasiado dispuesto a explicarte hechos que podrían hacerlo aterrizar en una de esas categorías. Por otra parte, si te muestras capaz de identificarte con otra gente y eres receptiva, él se inclinará a abrirse a ti.

Cuando tu hombre te explica pequeñas cosas sobre sí mismo de las que no está demasiado orgulloso, considera estas revelaciones oportunidades especiales para demostrarle que eres la mujer adecuada para él. Esfuérzate para dejarle claro que estas nuevas declaraciones no te desaniman. Hazle saber que para ti sigue siendo la misma persona que era antes de explicarte lo que le preocupaba.

Aun cuando te disguste lo que acabas de escuchar no necesitas decírselo de inmediato. Vive con esa información durante un tiempo. Después, si todavía necesitas hablar con él sobre algo que dijo, saca el tema más adelante y con tanta suavidad como sea posible. Aclarar cualquier hecho particular de su pasado es menos importante que mantener abiertas las líneas de la comunicación para el futuro.

La revelación de sí mismo que te hace tu hombre es un acto de enorme confianza que refuerza su sentimiento de intimidad contigo. Considera cada revelación como un cumplido, un premio que te concede por haberle demostrado cierto grado de consideración hacia él. Acuérdate de que **siempre que tu hombre te diga algo que normalmente no revela, te observará con mucha atención a fin de ver cómo reaccionas.** Si le gusta lo que ve, dará un paso adelante para convertirte en la mujer definitiva de su vida. La verdadera proximidad emocional llega cuando se deja de juzgar el valor del otro por las nuevas informaciones.

Una vez que alcances este nivel de unión la relación te parecerá casi indestructible. Cuantas más cosas te diga, más especial serás para él. Una de las peores perspectivas de una ruptura es la de tener que revelarte una vez más y desde el principio a una nueva persona —no sólo respecto a las cosas elementales, sino a tus pequeñas preocupaciones y sueños secretos, o a las cosas que te preocupan—. Él siente lo mismo.

No te imaginas la cantidad de mujeres que han llevado a un hombre más cerca del compromiso reduciendo la probabilidad de tener una crisis al escuchar revelaciones potencialmente vergonzosas.

Dereck se había situado a sí mismo y a la mujer que amaba en una situación embarazosa, y todo por su Apariencia Masculina. Él y Tara llevaban seis meses viviendo juntos y estaban hablando de casarse, pero Dereck había estado manteniendo una mentira sobre su vida, fingiendo que era licenciado cuando, en realidad, había abandonado la universidad al cabo de dos años. No había mentido de palabra, pero cuando Tara había hablado sobre su compañera de habitación en la universidad, Dereck dejó entender de un modo implícito que él también había compartido cuatro años enteros con sus colegas universitarios.

La crisis llegó cuando la compañía de seguros en la que Dereck trabajaba instituyó una nueva política para ofrecer a sus mejores empleados, incluido Dereck, la oportunidad de realizar un máster en administración de empresas haciéndose cargo del coste del mismo. En algunas reuniones de la compañía, Tara había conocido a algunos amigos de Dereck que iban a aprovechar la oportunidad. Animó a Dereck a seguir su ejemplo y no podía comprender por qué él seguía poniendo pegas y diciendo que estaba demasiado ocupado.

Cuanto más animaba Tara a Dereck y se ofrecía a hacer todos los sacrificios necesarios para ayudarlo, más culpable se sentía él por haberle mentido. Haber engañado deliberadamente a Tara corroía a Dereck y, en realidad, se manifestaba como un obstáculo para poder verla como a su mujer. Cuando, por la razón que sea, mentimos a la gente, queremos mantenernos a una cierta distancia.

Finalmente, como Dereck amaba realmente a Tara, se arriesgó.

Una noche confió en ella. «En realidad, nunca acabé la universidad. No pude decírtelo porque tú te esforzaste mucho en la universidad y los estudios significan mucho para ti.»

Tara comprendió de inmediato que aquél era un momento delicado, muy sensible para Dereck y crucial para ella. Ella estuvo a la altura de las circunstancias. «¿Y qué diferencia hay?», dijo. «Sólo se trata de un determinado número de horas. Fíjate en lo brillante que eres y el éxito que tienes en el trabajo. Puedes acabar la universidad fácilmente cuando quieras, si es lo que quieres.»

Tuvieron una larga conversación sobre el futuro de Dereck. Tara continuó demostrándole su apoyo y señalando la rapidez con la que Dereck se había ganado el respeto en la empresa y cuánto lo admiraban sus amigos y sus colegas. Lo convenció de que a ella le resultaría emocionante verlo continuar sus estudios y, sobre todo, que no le importaba que todavía no lo hubiera hecho.

Obviamente Tara se sintió herida por el hecho de que Dereck le hubiese mentido, pero también comprendió que lo había hecho por el amor que le tenía y por miedo a perderla. La admiraba demasiado para dejarla ver lo que él percibía como un defecto trágico. Tara tomó la decisión de no mencionar el hecho de que Dereck la había engañado con falsas apariencias y en lugar de ello enfatizó lo que tenían juntos. Comprendió que la intimidad con Dereck era más importante que cualquier hecho particular de sus vidas.

Dereck se matriculó en la universidad y cuando acudió a las clases consideró que Tara era una verdadera compañera en la aventura de su vida. Sintió que podía explicárselo todo y esperar que ella fuese su aliada. Desde cualquier lugar del mundo puedes desplazarte a cualquier otra parte y, para dos personas que se comprometen mutuamente, el viaje supone una gran aventura. Se casaron al año siguiente.

Cuando tu hombre acude a ti con un problema, no sientas que tienes que ofrecerle una solución rápida. Tal vez tengas una o tal vez no. Mucho más importante que lanzarte a aconsejarlo es que le des tiempo para hablar. Necesita saber que le escucharás. Para hallar una solución puede acudir a un profesional: un abogado, un médico o un agente inmobiliario. Lo que necesita de ti es tu compromiso y amor continuos por él, tu comprensión y tu atención. A medida que sienta tu apoyo, te explicará más cosas y tú habrás alimentado una mayor intimidad entre vosotros. Es posible que más adelante encuentres la solución o no.

Cuando te explique un hecho importante sobre sí mismo, imagínate a ti misma jugando a cartas con un amigo cuya mano permanece oculta al principio del juego. Entonces destapa una carta más a fin de que puedas verla. Si es posible, responde a esta nueva carta como si se tratase de una buena noticia. Ha confiado en ti para que veas otra «carta» de su vida. Más tarde podrás decidir qué jugada debes realizar.

La intimidad significa respaldar su mito personal

En nuestra propia mente, todos nosotros somos héroes o heroínas no celebrados viviendo una vida secreta de cuento de hadas además de la que vivimos aparentemente. Albergamos un *yo bajo la superficie*, lo que yo denomino un *mito personal*. Nuestro mito personal es el modo secreto en el que nos vemos a nosotros mismos, nuestra imagen —mayormente escondida— de quienes somos realmente, en contraposición a la impresión que los demás puedan tener de nosotros en la vida diaria.

Nuestro mito personal puede ser tomado de nuestros padres o de otros modelos, de las películas o de los libros. Por lo general, solemos empezar a incubarlo en nuestra mente ya de niños. Una de las razones por las que las mujeres tienen mayor intimidad entre ellas que los hombres es porque sus mitos personales las avergüenzan menos. Las mujeres llevan su mito personal hacia la superficie y lo comparten fácilmente entre ellas.

He escuchado muchos mitos personales de mujeres en mi consulta. Una exitosa mujer de negocios me explicó: «Me encanta ponerme de punta en blanco. Siempre me he visto como la reina del baile de gala de la familia». Una mujer que se estaba esforzando en la universidad me explicó que se motivaba recordando: «Desde que era niña me veía como una gran arquitecta. Cuando las otras niñas jugaban con las casas de muñecas, yo las desmontaba y las volvía a construir». Otra mujer, una madre que era ama de casa, me explicó que siempre se había imaginado como una gran atleta y utilizaba esta fantasía a fin de motivarse para permanecer en forma. Las mujeres a menudo se ven a sí mismas como la Madre Tierra, la Diosa del Amor, la Maestra en Psicología, la Supermujer que combina el trabajo con la familia, la Bella y Fenomenal Mujer de Negocios o la Sustentadora, como mi abuela.

Quizá tú combines varias imágenes para crear una personalidad romántica o quizá seas una mujer distinta a cada momento a medida que tus intereses en la vida cambian. Tu mito es como un secreto mágico que le otorga valor y significado a tu vida. Recurres a él para sacar fuerzas durante el día y para aportar romanticismo a tu vida.

Una de las grandes tragedias de la Apariencia Masculina es que la mayoría de hombres se sienten avergonzados de su mito personal. Lejos de compartirlo como una muestra de proximidad, lo esconden. Pensar que un hombre de verdad no tiene fantasías es una de las estúpidas creencias sobre la masculinidad; supuestamente él actúa y, después, es el mundo quien tiene fantasías con él. El mito personal es la imagen más necesaria pero, sin imágenes románticas, el ser humano no es nada y la vida resulta infructuosa.

Puedes convertirte en una mujer distinta a todas las demás cuando tu hombre te ofrezca la mayor revelación personal de todas: su mito personal.

A medida que la intimidad crezca, empezarás a saber con exactitud cómo es su mito personal. Por ejemplo, superficialmente tu hombre puede parecer tranquilo, pero bajo esa apariencia esconde una poderosa máquina de lógica capaz de desentrañar los motivos de todo el mundo y a quien es imposible engañar. En la superficie, tu hombre es un abogado corporativo, pero debajo de eso se oculta un eterno y entusiasta bohemio amante de la música. El mito de tu hombre puede tener características comunes como la honestidad o la fuerza. A menudo, los mitos de los hombres dependen de su conocimiento en un área determinada, como el vino, la política o la bolsa.

Una vez que empieces a buscarlo te resultará fácil ver en qué consiste el mito de tu hombre. A medida que confíe más en ti, empezará a hablarte sobre sus sueños secretos o sobre las cosas que piensa que podría haber llegado a ser. Advertirás, por ejemplo, que tu hombre se siente sorprendentemente herido si su capacidad en su área de especialidad queda en entredicho. Cuando alguien discute su capacidad para arreglar su propio ordenador o le dice a quemarropa que está muy equivocado respecto a la idea que tiene de un candidato político determinado, se enfada o se siente herido y se niega a seguir hablando. Te sorprende lo intensa que resulta su reacción hasta que comprendes que el ataque ha golpeado un órgano vital de su autoestima.

Por otra parte, cuando durante la cena la gente lo trata como al experto en informática o le pregunta qué es lo que está pasando realmente en Washington, él rebosa de alegría y empieza a disertar. Le han invitado a vivir su mito de genio informático o de analista político.

Bajo la superficie, muchos hombres se ven a sí mismos como «el gran amante», «el rico proveedor», «el sacrificado desinteresado», «el buen partido atractivo», «el que podría haber sido un importante jugador de la liga», «el arriesgado» o «el tipo encantador que se da muchos revolcones».

La intimidad más grande que puede sentir tu hombre llega cuando disfrutas de él como si fuese la persona especial de sus fantasías. **Cualquiera puede amarnos por sus propias razones, pero deseamos pasar el resto de nuestra vida con alguien que también nos quiera por los mismos motivos por los que nos amamos a nosotros mismos.** Es importante que apoyes la imagen que tu hombre presenta al mundo, pero todavía es más importante que le demuestres que crees en su sueño.

El vínculo más fundamental que conduce al matrimonio es el respeto por la imagen secreta de cada uno de los dos. Tu hombre ha estado suspirando toda su vida por una mujer que apreciase su mito personal y lo disfrutase. Resulta interesante ver que, una vez que empieces a pensar en ello, tal vez descubras que intuiste el mito personal de tu hombre desde el principio y que te sentiste atraída hacia él por eso.

Los amigos de Matthew lo veían como a un jugador que resultaba peligroso para las mujeres. Había estado casado tres veces y se había comprometido seriamente con varias mujeres en los últimos años; sin embargo, en la terapia, vi un lado totalmente distinto de Matthew. Su visión de las mujeres, lejos de ser la de un aprovechado, era casi reverente. Se enamoraba con una rapidez increíble y, para cuando comprendía que él y la mujer en su vida tenían muy poco en común y nada que compartir, ya estaba metido de pleno en la relación.

En su mito personal, Matthew era muy religioso y contemplaba su vida como una búsqueda de una compañera del alma que fuese tan espiritual y que se sacrificase tanto como él. Matthew siempre había expresado parte de su mito. Como exitoso corredor de fincas, dedicaba una cantidad considerable de tiempo a ayudar a gente menos privilegiada de su iglesia a encontrar una vivienda que pudiese costear; pero a Matthew le parecía que la mujer de su mito personal, la que pudiera comprenderlo y sentir lo mismo que él, no aparecería nunca.

Cuando Matthew acudió a mí se sentía deprimido y desesperanzado. La idea de divulgar su historial matrimonial a una nueva mujer lo acobardaba. Sabía que su historial le haría parecer peligroso y tal vez, en cierta manera, como un perdedor, pero también sentía que había mucho más en él de lo que se veía a simple vista. Me di cuenta de que la imagen secreta de Matthew era más verdadera que la que revelaba su historial personal.

En Haley, a quien Matthew conoció poco después de empezar la terapia conmigo, encontró a una mujer que no sólo era amable, sino que también se sentía conmovida por su amabilidad. Haley tenía problemas propios en su historial; había estado en la bancarrota tras un divorcio muy complicado, tenía dos hijos a su cargo y había tenido que hacer milagros para volver a una situación de solvencia económica. Tras cinco años de trabajar duramente, estaba en el buen camino. Sus propias tribulaciones le habían enseñado que las circunstancias de la gente a menudo no reflejan su verdadera naturaleza. A Matthew le resultó sorprendentemente fácil revelarle a Haley la historia de su vida. Cuando le contó que había tenido relaciones serias con muchas mujeres, a ella no pareció importarle.

En lugar de centrarse en sus fracasos, Haley estuvo más interesada en el trabajo caritativo que Matthew llevaba a cabo. Vio su mito personal y lo amó por él. Le dijo a Matthew lo útil que le hubiese sido su ayuda cuando ella y sus hijos estaban buscando una vivienda. Que Matthew estuviese ahí para ayudar a mujeres que se encontraban en su situación significó mucho más para ella que los percances en sus matrimonios o las mujeres con las que había salido.

La apreciación de Haley del aspecto espiritual de Matthew lo fue todo para él. Ella lo veía como él siempre había querido que le viese una mujer, como quería verse él mismo. Matthew apreció todavía más a Haley cuando descubrió que varios amigos la habían puesto sobreaviso respecto a él y que ella había logrado ver a la verdadera persona que era a pesar de esas advertencias. La independencia fiera de Harley y su propio mito personal —«siempre lo haré bien si confío en mi propio juicio»— fueron la razón principal por la que él se enamoró de ella.

Matthew y Haley se casaron y no tienen la menor duda de que será para siempre. **Las únicas aventuras románticas que duran verdaderamente son aquellas en las que nuestra pareja se siente amada por las mismas razones por las que se ama a sí misma.**

De todas las cosas que le revelamos al amante de nuestra vida, el mito personal es la más frágil y la más importante. Evidentemente, esto no puede provenir de un solo lado. No es sólo el mito personal de tu hombre el que cuenta. Igual que en el caso de Matthew y Haley, necesitas que tu hombre también aprecie tu propio mito. No se te pide que renuncies a tu vida por su fantasía. Necesitas un compromiso similar por su parte y, si te ama, no debería resultarle difícil asumirlo. De hecho, querrá amarte de la manera en que tú necesitas ser amada. Alimentará tu imagen secreta igual que tú alimentas la suya.

Celebra tu intimidad a fin de renovarla

La vida es orgánica. Nada permanece a menos que sea renovado —incluida la intimidad—. Una vez que hayas alcanzado la intimidad, refuérzala celebrando lo que tenéis juntos y lo que tenéis como individuos. Cuando lo hagáis, desarrollaréis una visión romántica de ambos que será más grande que la vida.

Durante los años de desamparo emocional, cuando la Apariencia Masculina de tu hombre le forzaba a ser un solitario estoico, quizá pensara que las celebraciones íntimas eran «cosa de mujeres», pero sólo se trata de una cuestión de vergüenza. Ayúdale a ver que, a tu lado, la vida será una celebración continua, como la que siempre ha deseado pero le daba demasiada vergüenza admitir.

Debido a su Apariencia Masculina, a los hombres les avergüenza admitir lo mucho que desean formar parte de una familia unida. Pocos hombres confesarían que quieren ser tratados como niños cuando es su cumpleaños o cuánto disfrutan cuando los llevan a cenar fuera para celebrar un nuevo trabajo o por haber obtenido cualquier otro objetivo importante. Tu hombre puede transmitirte: «Yo no necesito esas cosas. No son lo que realmente cuenta. Mi vida es rendimiento». O incluso: «Las celebraciones son cosas de niños», pero para el inconsciente eso no es más que un disparate. En su corazón, tu hombre quiere ser un héroe de cuento de hadas tanto como cualquier niño. Así que ¿por qué no deberías tú ocupar un lugar en su cuento de hadas?

Es cierto que algún día podrían producirse celebraciones más importantes pero, aunque se convirtiese en un gigante de la industria o un líder de multitudes y fuese públicamente laureado por su éxito, que tú celebres con él su graduación o su primer cliente puede ser un recuerdo que permanezca grabado en él con más intensidad. La cena tranquila y discreta que organizaste para los dos, o tal vez con unos pocos amigos, significará más porque tú creíste en él antes de que su éxito fuese evidente. Y si ese día soñado no llega nunca, la celebración que organices ahora significará todavía más.

No te dejes embaucar por su Apariencia Masculina. Quiere que veas a través de él y que lo consideres no sólo un hombre capaz sino también un viajero inseguro del mundo, además de un chico que está intentando triunfar.

Dado que su Apariencia Masculina es una camisa de fuerza, tu hombre experimentará un gran alivio cada vez que pueda aflojarla, por poco que sea. Buscar con él la intimidad, además de constituir un beneficio para ti, equivale a una importante operación de rescate para él. Lo estás salvando de una soledad infligida por sí mismo brindándole una mayor capacidad para amar.

La intimidad es un proceso continuo. La atención que te ofrece tu hombre satisface su sueño más profundo. La sensación de tener un hogar que todos anhelamos nunca llega a verse satisfecha por el mero hecho de ser amado. El hogar también incluye el acto de amar.

SEGUNDA PARTE

Conectar

6

Sexo: la experiencia tecnicolor

El sexo, ya sea en la cama, en el suelo de la cocina o en el parque, puede ser el origen de la relación amorosa. Es capaz de crear experiencias fantásticas que compensan las malas y, si persiste en la mente, puede tender un puente entre la gente tras malas épocas y fomentar una mejor comprensión. Obviamente, el sexo no es lo mismo que una relación romántica pero, cuando es satisfactorio, le brinda a esta aventura su máxima oportunidad. Una vez que seáis amantes, los pensamientos sexuales dominarán vuestras fantasías sobre el otro. Su color especial avivará el tiempo que pases con tu hombre. Sazonará sus fantasías sobre ti cuando te vea en la pista de tenis, en el aeropuerto o sirviendo las bebidas durante una fiesta. El regusto de tu cuerpo y la expectación antes de hacer el amor aportan color a todas las impresiones que causas en él.

Mientras hacéis el amor, todo se exagera, de igual modo que los efectos posteriores del buen o el mal sexo en vuestros sentimientos el uno por el otro. El buen sexo puede ayudarte a ti y a tu hombre a superar los momentos difíciles que surgen en todas las relaciones amorosas. Cuando tu hombre se siente sexualmente aceptado y querido, acontece un tipo de unión espectacular. Querrá ver las cosas tal como tú las ves y le resultará fácil olvidar cualquier percepción que pueda tener sobre otros aspectos de él que te decepcionan.

Si el sexo es bueno, estás satisfaciendo todas las necesidades básicas de tu hombre hasta un nivel que sólo ha alcanzado en sueños. Se sentirá especial, seguro de tu lealtad, próximo de manera inimaginable y experimentará una ligereza en el amor que nunca creyó que fuese posible. ¿Cómo no iba a querer conservarte en su vida? Sentirá que su largo y solitario viaje en busca del amor y del placer con una mujer se ha acabado.

Pero la Apariencia Masculina de tu hombre también le aportará unos significados sexuales que van más allá del placer y la intimidad. Por sorprendente que esto pueda parecer, **casi todos los hombres cargan al sexo con más equipaje psicológico que las mujeres.** Tu hombre es exageradamente sensible y a ti, como mujer, te puede resultar difícil de entender.

Con la atmósfera sexual apropiada, utilizará el sexo contigo para amarse a sí mismo y sentirse triunfante y tú cosecharás todos los beneficios; pero tu hombre es más vulnerable de lo que piensas respecto a sentirse inadecuado y desposeído de dignidad como amante. Si llega a sentirse así, experimentará una herida tan profunda que, en muchos casos, ni siquiera el amor podrá curarla.

No te preocupes tanto por ser deseable sexualmente que llegues a menospreciar cuán necesitado se siente tu hombre. Quizá te preguntes por qué mujeres que no son muy atractivas tienen relaciones sexuales ricas y consiguen que sus hombres se casen con ellas. Estas mujeres se han percatado de que lo que más felices las hace en materia sexual es también lo que más felices hace a sus hombres. Satisfaciendo sus propias necesidades, satisfacen las necesidades de sus hombres y, como veremos, ése es el secreto para alcanzar el sexo maravilloso que conduce al compromiso.

La actitud cuenta más que los actos

La clave que nos indica si el sexo es tan fantástico como para conducir al matrimonio tiene mucho menos que ver con unos actos determinados que con la *actitud*. Observa cualquier quiosco y verás revistas femeninas cuyos principales artículos rezan así: «Los dos secretos que mejorarán tu vida sexual» o «Lo que verdaderamente quiere tu hombre en la cama y no se atreve a pedirte».

El mensaje consiste en decirte que alguna nueva combinación de actos sexuales que no has probado te harán destacar ante tu hombre para que así se case contigo. Los manuales de sexualidad desempeñan una clara función. Probar con nuevos actos y nuevas posturas puede resultar, indudablemente, provechoso, pero ¿añaden algo a tu valor matrimonial además de mejorarte como instrumento de placer? O, dicho de otro modo, ¿acaso el mero hecho de brindarle mucho más placer erótico le inducirá a casarse contigo?

Quizás en algunos casos así sea pero, en la mayoría, *tu actitud hacia el sexo* cuenta mucho más que el hecho de estar ambos de acuerdo en practicar determinadas posturas o actos, o en desempeñar ciertos papeles o cualquier otra cosa. Con la actitud adecuada, descubrirás todo aquello que ambos disfrutáis como amantes. Podéis leer los artículos y los libros juntos. Sin embargo, con una actitud inapropiada, ni siquiera es posible hablar de sexo y cualquier sugerencia que hagas será interpretada por él como una crítica. La *química del sexo* es lo que lo hace satisfactorio o no, lo que lo convierte en el camino real hacia el matrimonio con el hombre adecuado o lo que acaba con el trato.

Tu actitud hacia el sexo se revela más importante que nunca porque, por extraño que pueda parecer, el sexo es más complicado para los hombres de lo que solía serlo *—complicado psicológicamente hablando—*. Hace cien años, cuando la sexualidad de las mujeres estaba suprimida junto con la mayoría de sus derechos, los hombres podían satisfacer su Apariencia Masculina meramente mediante la seducción. Un hombre podía sentirse viril y presentar una buena imagen ante sus amigos si conseguía que varias mujeres «cediesen». Nadie preguntaba a la mujer si había disfrutado de la experiencia. El mero acto de la conquista era suficiente.

Aunque a los hombres todavía les importa la conquista, ahora cuentan con una nueva carga. Las mujeres quieren placer erótico y saben lo que es el buen sexo. Éstas deberían ser buenas noticias para el hombre que está considerando casarse contigo. Puede hacer que el sexo sea mucho mejor para él, pero ahora que eres una igual capaz de «evaluarle», no resulta tan fácil tratar con la Apariencia Masculina de tu hombre. Se enfrenta no sólo al reto de seducirte sino también al de cumplir con las promesas de su campaña con una gran actuación sexual. Para tu hombre, iniciar una relación sexual contigo puede suponer toda una prueba, además de una fuente de placer.

Esto puede parecer extraño pues la mayoría de nosotros pensamos que el sexo es más fácil para los hombres que para las mujeres. A muchos hombres no les cuesta dormir con una mujer detrás de otra y no volverlas a llamar nunca más. Es verdad que los hombres pueden practicar sexo esporádico con mujeres a las que no consideran importantes. (Probablemente tú no consideres insignificante a ningún hombre con el que te hayas acostado.) Pero cuando conoce a una mujer que realmente le importa, ese mismo hombre que parecía tan informal, lo es todo menos eso. La mayoría de hombres dividen a las mujeres en dos categorías: la mujer que no cuenta y la mujer que cuenta. Tras haberte convertido en la mujer que cuenta, es probable que al principio tu hombre tenga cien preocupaciones sobre su actuación sexual.

Quizá desearías que se lo tomase con calma, dejase de torturarse a sí mismo y permitiese que vuestra vida amorosa siguiese su propio curso, pero probablemente no pueda —al menos no sin tu ayuda.

El sexo y la Apariencia Masculina

Pocas mujeres son conscientes de cuánto se compara su hombre con otros hombres. Tú practicas el sexo para obtener placer, intimidad, y para estar más cerca de él. Pero tu hombre, además de estos motivos, el pobrecillo hace el amor para *demostrar* que es un hombre, como si todavía no estuviese lo bastante claro. Depende de cómo lo mires, su preocupación excesiva es o bien cómica o bien trágica.

Considera esto: millones de hombres se han casado con mujeres porque les gustaba la forma en la que *ellos mismos* actuaban en la cama con aquellas mujeres. ¿Una razón descabellada para casarse? Obviamente, pero ahí está la cuestión. Y los hombres escapan continuamente de la escena de lo que consideran sus fracasos sexuales.

Si eres afortunada, tu hombre sólo padece levemente esta enfermedad llamada la Apariencia Masculina, pero es muy posible que la sufra en mayor grado. Piénsalo y probablemente encontrarás prueba de ello. Por ejemplo, te pregunta con demasiada frecuencia si has tenido un orgasmo o si fue bueno la noche anterior, o alardea de conquistas pasadas, o se muestra desconsolado cuando no consigue tener una erección.

Quizá te lo estés pasando en grande en la cama y consideres que no falta nada, pero el proceso mental de tu hombre no cesa nunca. Hasta el hombre más relajado se evalúa a sí mismo de una manera de la que no puede desconectar tan fácilmente. En su mente, tu hombre se enfrenta al reto de tener que *demostrar que es un hombre y disfrutar a la vez* en un corto período de tiempo. A fin de tener sexo contigo necesita estar excitado antes para obtener una erección. (Y cualquier ansiedad puede bloquearla.) Necesita conocer tu anatomía, disfrutar excitándote pero no demasiado para no tener un orgasmo demasiado pronto. Si es como la mayoría de hombres a los que les importas, sentirá que tiene que hacerte el amor hasta que *tú* tengas un orgasmo, pues de no ser así considerará que es *su* fracaso. Irónicamente, cuanto más le importes, más probable será que se preocupe y más *difícil* le resultará tomar y disfrutar de todo el placer que el buen sexo puede ofrecerle también a él.

Si se obceca en atacarse a sí mismo de tal modo que ello dificulta su actuación, puede resultar difícil convertir esta inseguridad en sí mismo en un amor por sí mismo; pero nueve de cada diez veces, si entiendes su Apariencia Masculina, puedes ayudarle a erradicarla.

¿Por qué, cuándo y cómo?

Muy poco después de haber iniciado el juego, o bien empezarás tomando la buena dirección sexual o bien iniciarás una serie de reacciones en cadena que pueden ser susceptibles de incrementar su Apariencia Masculina hasta el punto de impedir que el sexo sea una experiencia de expansión.

¿Por qué, cuándo y *cómo* deberías tener relaciones sexuales con él? Estas tres decisiones pueden ser la plataforma de lanzamiento para alcanzar una gran vida sexual. Pero es fácil confundirse con

ellas y, si eso ocurre, son susceptibles de poner fin a la relación amorosa antes de que empiece.

Sorprendentemente, la clave consiste en concentrarse en lo que *tú* quieres y lo que *tú* disfrutas. Si tu hombre es medianamente solícito, estar abierta, relajada y pasártelo bien hará que él se sienta de lo más feliz; pero existe un peligro oculto. Cuanto más te importe un hombre, más difícil puede resultarte hacer esto. Igual que tu hombre se preocupa más por su actuación si eres importante para él, puedes prever la ansiedad sobre tu propia actuación cuando conozcas al hombre que puede significar todo tu futuro.

A medida que respondamos esas tres preguntas, te darás cuenta de que es básico identificar lo que *tú* quieres, lo cual no siempre resulta fácil.

¿Por qué? Crear una fantasía privada

La Apariencia Masculina de tu hombre limita enormemente su capacidad para expresar sus emociones. No es capaz de expresar un sentimiento profundo en muchos contextos en los que tú sí puedes y eso convierte el sexo en un reino emocional vital para él. Durante el sexo, mientras finge que meramente está reaccionando a una excitación física, puede ser él mismo. Puede satisfacer su deseo de intimidad y revelar sus necesidades.

Esto puede convertir el sexo en un paraíso de la expresión para él, quizás incluso de carácter más excepcional para él que para ti. Para que tu hombre obtenga esta satisfacción mágica, necesita sentir que tú quieres tener relaciones sexuales con él por razones puramente emocionales y porque quieres estar ahí.

A fin de crear la atmósfera adecuada —una vida sexual con la que ambos queráis continuar para siempre— intenta convertir el sexo en un mundo de ensueño y mantenlo así. Otórgale al sexo un lugar propio. Ambos deberíais ser capaces de considerarlo un refugio en el que se mezclan la fantasía y la realidad. El sexo es un mundo propio en el que mantener secretos y traspasar fronteras de mutuo acuerdo. Es una conspiración de amor en la que tú y tu hombre sois la realeza y en la que no se aplican las reglas comunes. El sexo es un reino en el que ambos podéis ser espontáneos sin necesidad de pactos.

Esto significa que debes **confiar en que la experiencia sexual hable por sí misma.** Nunca la utilices como una estratagema deliberada para lograr ningún propósito. El sexo no está para endeudar a tu hombre, ni siquiera para conseguir que te diga que te ama durante el acto. Tal vez desees oírlo desesperadamente, pero ése no es el momento para hablar de los cambios que crees que debe hacer. Tampoco es el momento para exigir promesas: «Esto es tan maravilloso... ¿por qué no estamos siempre juntos?» A un hombre le resulta espantoso escuchar un comentario de este tipo cuando está inmerso en toda esa pasión.

Imagina lo que sientes cuando estás en una maravillosa tienda de ropa. Miras con entusiasmo docenas de conjuntos y accesorios magníficos, y te los llevarías todos. Estás preparada para comprarte algo, quizá hasta para gastarte el salario de un mes, cuando, de pronto, una dependienta se te acerca y empieza a presionarte para que compres algo. «¿Cuál le gusta? Permítame que le enseñe lo que acaba de llegar, es perfecto para usted. Me parece que su talla es la treinta y seis. ¿Quiere probarse éste?» De repente, ya no quieres comprarte nada. De pronto tu placer se ha esfumado. Te sientes presionada y quieres salir corriendo de la tienda.

Así es como se siente tu hombre cuando, en mitad del acto, empiezas a pedirle que se comprometa contigo, que os imagine en el futuro, que se case contigo o que haga casi cualquier cosa. Tu hombre se sentirá intensamente hipersensible si relacionas el placer sexual con la petición o exigencia de algo, por poco que sea.

Tras hacer el amor os halláis el uno en brazos del otro. Ambos estáis saboreando todavía el placer que habéis alcanzado al reencontrar la carne del otro, el amor del otro. Te viene a la mente que necesitas que él haga algo por ti durante el fin de semana. Sin pensarlo le dices: «¿Te importaría llevarme en coche a casa de mi madre el sábado para recoger aquella alfombra?»

De repente, el encanto se rompe. Toda la experiencia sufre un cambio; puedes verlo en la expresión de su rostro y sentirlo en la habitación. Tu hombre se siente degradado, como si hubieses saboteado el acto sexual, como si el propósito y significado del mismo fuese falso. ¿Te parece exagerado? Indudablemente lo es, pero también lo es su Apariencia Masculina. Su masculinidad se sustenta en gran parte en su creencia de que lo quieres por sí mismo, sin condiciones.

Tu hombre posee un sexto sentido que le indica por qué te acuestas con él. En menos tiempo del que te imaginas reconocerá motivos equivocados y se sentirá herido por ellos. Probablemente tu hombre ha estado con mujeres que se acostaron con él porque tenían miedo de perderlo o porque querían obtener cosas de él. No sintió que era especial para ellas ni tampoco experimentó una verdadera intimidad, ni estuvo convencido de su lealtad. En cierto modo, le mintieron, no fueron leales al mito personal que tiene de sí mismo como amante. Llegó a sentir que se aprovecharon de ese mismo mito, se sintió embaucado. Inconscientemente, intuyó que nunca podría sentirse libre de cargas con ellas y que tendría que pagar un precio por todo —incluido el sexo.

Al igual que tú quieres a un hombre que pierda la cabeza por ti, que se enamore de ti y que lo comparta todo contigo, él tiene la fantasía de una mujer que le quiera *a él*, y que *quiera sexo con él* por lo que él es. Cuanto menos recargados sean tus motivos para acostarte con él, mejor; él quiere que aprecies su verdadera naturaleza por encima de todo. Ni siquiera el sexo más fantástico visto desde un punto de vista meramente físico bastará para superar el sentimiento de que lo quieres por otras razones que por él mismo. La actitud lo es todo.

El sexo es un reino aparte. En sus confines todo está permitido, siempre que ninguno de los dos utilice la fuerza o haga algo en contra de la voluntad del otro. En este reino mágico, ningún acto sexual resulta raro si ambos disfrutáis de él. O si quieres pensar que se trata de algo extravagante a fin de disfrutar más de él, eso ya es cosa tuya. Romper las reglas forma parte del juego. El sexo es un lugar para el arte y la fantasía —podéis desempeñar un papel juntos y con palabras o lo puedes hacer sólo mentalmente; podéis hablar durante el acto o podéis decidir no hacerlo; podéis permanecer en la oscuridad o bajo una potente luz; podéis decidir la frecuencia y cómo debería ser el acto; podéis repetir posturas o seguir variándolas—; nadie puede decirte lo que es bueno para los dos como pareja. Nadie tiene un libro de instrucciones. El mero hecho de que el sexo pueda ser tan bueno es lo que hace que sintáis que estáis rompiendo las reglas y que estáis obteniendo más provecho de la experiencia de lo que está permitido. **Las únicas perversiones en el sexo son el uso que de él pueda hacerse para otros propósitos distintos a la intimidad y el placer.**

¿Cuándo? Pronto. Pronto. Antes de lo que imaginas

De acuerdo, quieres tener una relación sexual con él por las razones correctas. ¿Cuándo empezar? Olvídate de él por un momento y piensa en ti misma. Lo más seguro es que albergues algunas inquietudes. Aun cuando el hombre te guste mucho, el sexo es una apuesta. ¿Qué ocurriría si intimases con él y después no volviese a llamarte nunca más? Si no eres capaz de enfrentarte a eso (y no es ningún estigma no serlo), entonces obviamente será mejor que esperes hasta conocer mucho mejor al hombre.

O posiblemente alguna característica suya te moleste. Por ejemplo, sientes que es una persona exageradamente crítica. Quizá tienda a menospreciar a la gente por ser demasiado impulsiva o demasiado emocional, o lo hayas oído hablar de una mujer diciendo que era «excesivamente sexual». Tal vez percibas que es quisquilloso y acusador. La noche pasada hizo que le cambiaran la sopa «profundamente decepcionado» porque «no estaba del todo caliente». Te preguntas cómo te juzgará a ti y te pones nerviosa previendo que tus muslos le parecerán demasiado gruesos o tus senos demasiado pequeños. En este caso también puedes esperar. Quizá te alegres de hacerlo.

Tal como hemos visto, cuando tus motivos para iniciar una relación sexual son los de exigir algo o están descaminados, entonces no habrá nada capaz de disuadir a un hombre con tanta rapidez. No lo conviertas en tu amante apresuradamente a fin de que no se escape. Intuirá que lo estás utilizando y que tienes motivos ocultos. O tal vez los dos estéis colgados o bebidos, y sospechas que si estáis así es porque las cosas no van realmente bien entre vosotros. De nuevo, espérate. El sexo en estado de embriaguez os puede hacer sentir a ambos asqueados con vosotros mismos y con el otro aun en el caso de que la relación hubiese tenido alguna oportunidad. Si los dos estáis bien juntos, tendréis otras ocasiones; pero, dando por sentado que todo está bien y es natural, **el sexo está en la Tierra para satisfacer todas las necesidades básicas de tu hombre así como las tuyas propias.** Esto se opone a muchos de los consejos que se dan, especialmente por parte de los padres y de la gente más mayor, quienes son más conscientes de los errores que cometieron que de las oportunidades de amar que perdieron. Dado que este hombre es muy especial para ti, quizá tú misma creas en las advertencias de que hay que esperar mucho tiempo, lo que puede perjudicarte en lugar de beneficiarte.

Si este hombre no fuese tan especial para ti, podrías irte a casa con él esta noche; sin embargo, como piensas en él de cara a tu futuro, quizá veas las cosas demasiado a través de sus ojos y no lo bastante a través de los tuyos. **Pensar excesivamente en la imagen que tiene de ti puede impedirte escoger el momento oportuno para el sexo y crear distancia en lugar de intimidad.**

Ten cuidado con pensamientos del tipo: «Quizá no debería tan *pronto*» o «Tal vez piense *mal* de mí» o «Quizá rebajaré mi *valor*». Con estos motivos, convertirías el sexo más en una estrategia que en un acto espontáneo de deseo.

Recupera la espontaneidad. La mejor manera de acabar con la Apariencia Masculina de tu hombre y aplicar la química adecuada para un sexo perdurable es la de demostrarle que puedes sentirte arrebatada por él.

¿Pensará que eres demasiado fácil si te acuestas con él la quinta vez que salgáis juntos o incluso mucho antes?

Según mi experiencia, las mujeres que se imaginan que perdieron a un hombre porque el sexo con ellas fue demasiado asequible o bien están equivocadas o bien fueron afortunadas de perder a ese hombre. Cualquier hombre que piense que eres «fácil» porque te acostaste con él antes de lo que él cree que deberías haber hecho es peligroso. El sexo puede parecerle algo sucio y el papel de la mujer en la vida es el de mantener la pureza. Si es así, tiene una visión despreciable de las mujeres. Si para él la inocencia es un requisito, dejará de amarte cuando ya no seas una completa inocente. Si necesita que le tengas miedo al sexo, entonces su carácter es muy inseguro y deberías ser precavida con él. Tendrá muchos otros modelos poco reales que tú tendrás que cumplir. Permítele encontrar a otra persona que esté dispuesta a pasarse toda la vida amoldándose a su patrón. Tú te mereces a un hombre al que le gustes tal como eres.

Muchas más mujeres han salido perdiendo porque permitieron que una relación amorosa potencialmente maravillosa se desinflase y acabase siendo tan sólo una débil amistad. Si se trata de un hombre mínimamente decente, es mejor maximizar la excitación del principio de la relación dando pie al tipo de vida sexual que le hará empezar a pensar en el matrimonio.

Tu hombre recordará siempre que tú estabas tan deseosa de hacer el amor como él mismo. Disfrutará del recuerdo de esa primera época, de la sensación de que resulta atractivo para ti, incluso apremiante. Esos primeros días en los que se inició la aventura romántica permanecerán en su mente y reavivarán el amor más adelante. De la misma manera recordará si le sometiste a un cortejo devastador en el que el sexo era la recompensa. Más adelante, incluso aún más que ahora, sentirá que todo el deseo era *suyo*. En tales circunstancias, podrás decirle a diario que es *sexy* pero, si así era, ¿por qué primero tuvo que demostrar su valía de tantas maneras? El cortejo prolongado sin sexo resulta insultante para el ego masculino; es una forma de rechazo.

¿Y qué hay de la creencia común de que los hombres prefieren a las vírgenes? ¿Acaso es ésa la fantasía secreta real de tu hombre? Casi seguro que no. La mujer de la fantasía de casi todos los hombres de mi despacho es una mujer sexualmente experimentada. No te olvides de que la competencia con otros hombres es una parte importante de la Apariencia Masculina. En el fondo él siente que la prueba definitiva de su masculinidad sería tener éxito con una mujer que haya tenido los mejores amantes. Los hombres sueñan con practicar el sexo con modelos cuyas aventuras amorosas leen en las revistas. Nunca he tenido un paciente masculino cuya fantasía fuese la de hacer el amor con una virgen. La virgen es una elección equivocada por la que optan los hombres que no quieren ser juzgados con el veredicto de deficiente. La pasión de una mujer experimentada, sus cumplidos y su deseo significan mucho más para un hombre.

De hecho, en realidad es peligroso actuar como una virgen, asustada por todo lo que él hace. Por un lado, lo estás presionando para que sea el líder sexual, tal vez más de lo que él mismo cree que puede ser, y lo estás cargando con muchas cosas con las que cumplir. Estás jugando precisamente con su ansiedad sobre su actuación. Además, cuando él le demuestre su capacidad a esa mujer virginal que eres, seguirá sin estar convencido de su masculinidad. Seguirá soñando con una mujer que sabe lo que es el sexo, que no tiene miedo y que está dispuesta a escoger pronto a su amante.

Si él te ve como a una mujer experimentada que es apetecible y que ha estado con otros hombres, todo lo que le ofrezcas será mucho más grande y más atractivo para él. La intimidad perdurable sólo puede darse entre dos amantes que tienen la oportunidad de escoger y que se eligen mutuamente con total libertad.

¿Y qué hay del consejo de que te querrá más si te haces la mujer difícil de conseguir? Has visto a mujeres que nunca se acuestan con un hombre al principio de la relación. Su política es: «Haz que se esfuerce por conseguirlo y entonces será más importante para él». Algunas de estas mujeres consiguen que los hombres se rindan a sus pies actuando como si ellos las aburriesen, las decepcionasen y las dejasen indiferentes. Cuando ves a un hombre atractivo que prodiga atenciones a una de estas criaturas narcisistas te preguntas por qué razón se esfuerza tanto para conseguir tan poco. En un momento dado te sientes tentada de aconsejarle que la abandone. Al minuto siguiente envidias a la mujer por su extraño poder sobre los hombres. Si tu propia vida amorosa marcha mal, quizás estés pensando: «A mí no me tratan así los hombres. Ojalá pudiese ser como ella. Daría mucho menos y obtendría mucho más, y a largo plazo sería más feliz».

Las mujeres narcisistas que juegan a ser distantes e inalcanzables a menudo consiguen que los hombres corran detrás de ellas. Algunos tipos de hombres aceptan el reto. Equivocadamente se imaginan que la frialdad es un signo de sofisticación y de un espíritu mundano. Se culpan a sí mismos por no estar a la altura de la mujer, de modo que lo siguen intentando.

Pero esta táctica de jugar a ser una mujer difícil de conseguir sólo funciona a corto plazo. En ocasiones es posible estimular a un hombre para que vaya en pos de ti haciendo que se sienta inadecuado —denegándole el sexo o hasta la aceptación—. Incluso un hombre con éxito, si se siente atraído hacia ti, es capaz de romperse el cuello para complacerte al principio; pero te persigue porque, bajo la superficie, se siente indigno e incompleto. Has inducido en él un sentimiento de inadecuación y él está intentando superarlo demostrando su valor ante ti. En el fondo de su ser sabe que se está poniendo en ridículo, que está dando mucho más de lo que está obteniendo.

A medida que pase el tiempo, estará resentido contigo por haberle hecho sentir miserable. No se quedará sin sexo para siempre —por supuesto— pero, después de un tiempo, te deseará *menos* y para cuando tú «cedas» y te acuestes con él, la relación romántica puede estar casi acabada. Entonces tendrá sexo contigo porque se lo ha ganado, pero se sentirá todo menos especial. Pronto empezará a desquitarse contigo por lo que para él ha sido un maltrato colosal a su persona. Cuando quieras algo de él, te lo negará del mismo modo que tú se lo negaste cuando tuviste poder sobre él.

En mi consulta a menudo he visto a hombres que se sentían torturados por la distancia de una mujer durante meses o años. A medida que transcurría el tiempo, yo veía de qué modo la mujer había dejado de importar en sí misma. Todo se había convertido en una persecución, en el deseo del hombre de sentirse completo consiguiendo que la mujer se acostase con él y le dijese que lo amaba.

Cuando el hombre finalmente conseguía lo que quería, se aseguraba de *no* darle a la mujer lo que *ella* deseaba: ningún compromiso de ninguna clase e indudablemente nada de boda.

El sexo temprano, si lo tenéis por las razones adecuadas, es susceptible de haceros superar muchas dificultades más adelante. Tu espontaneidad te distingue de las mujeres que han intentado utilizar el sexo como vía para hacer que su hombre se sintiera obligado. Cuando expresas tu deseo pronto, sin obligar a tu hombre a dar pasos innecesarios para demostrar que es lo bastante bueno, estás haciendo una afirmación positiva; pero, por supuesto, esto nunca significa que debas aventurarte con el sexo inseguro. No puedes correr riesgos cuando se trata de la seguridad y ningún hombre al que le importes lo más mínimo querría que lo hicieses. Haz cualquier cosa que creas que debes hacer a fin de que el sexo con él sea seguro.

¿Cómo? Escapar del triángulo de las Bermudas

Recuerda el consejo sobre el inicio de la relación. Sé espontánea y natural y expresa tus sentimientos. Esto es igual de importante, aunque tal vez un poco más difícil, cuando empieces a acostarte con tu hombre.

No permitas que el amor inhiba al sexo. Cuanto más importante sea un hombre para ti, más difícil será acostarte con él sin inhibiciones. Quieres demostrar tu mejor comportamiento y eso quizá te ponga demasiado en guardia. **Pero si introduces el sexo espontáneo en la relación amorosa más respetable, hará que ésta sea mejor.**

Algunas mujeres se consideran desafortunadas porque los hombres casaderos de sus vidas parecen ser todos unos amantes aburridos. Con frecuencia son *ellas* las que se vuelven aburridas tan pronto como la boda aparece en escena.

Lori acudió a mí porque sus planes para casarse con un hombre de éxito no iban tal como esperaba. Era alta, esbelta y muy atractiva. Era una abogada de éxito que trabajaba en el departamento de contratación de una agencia de deportes y yo imaginé que era eficiente y atenta al detalle. Lori explicó con sencillez lo que la había traído hasta mí. Quería casarse con un hombre que fuera rico y sofisticado. Algunos que pertenecían a esa categoría la habían amado, pero el sexo con cada uno de ellos había sido un fracaso. Keith, el más reciente, era muy adinerado, atractivo y tenía un estilo fantástico. Al principio, cuando hablaba del matrimonio, Lori se había estremecido de emoción. Habían viajado juntos a lugares lujosos, pero una cama suntuosa en una habitación ornamentada no garantiza una buena relación sexual, como ambos descubrieron. Tras su último viaje a Europa, Keith acusó a Lori de utilizarlo como si fuese un premio de consolación frente a su amante de la universidad arruinado, de quien Lori hablaba frecuentemente. Lori no lo negó con suficiente convencimiento. Al final, sintiéndose confundido y profundamente herido, Keith puso fin a la relación.

Lori parecía dudar sobre si hablarme o no de un factor que lo había complicado todo pero, transcurrido un tiempo, lo hizo. Unos meses antes, Lori se había marchado a las Bermudas sola para practicar el *snorkel*, navegar y reflexionar sobre su relación con Keith. En su tercer día allí conoció en el bar del hotel a Willem, un oficial de un barco de crucero holandés. Sabiendo que no volvería a verlo nunca más, lo sedujo. El sexo fue fantástico, desinhibido y enloquecido durante tres días. Aunque Keith no lo descubrió nunca, tal vez intuyó que su valor había disminuido aún más cuando ella regresó.

Describiendo su aventura con Willem, Lori dijo: «Quería sentirme como una mujer otra vez y lo hice». Tras decir que Willem era «un buen amante y muy desinhibido», comentó: «Sabía desde el principio que sólo era algo temporal. Los hombres con los que podría casarme no son nunca con los que me lo paso así de bien».

Le pregunté a qué se refería y me habló de Chris, el otro hombre con el que casi se había casado. Cinco años atrás había conocido a Chris en la primera firma de abogados para la que había trabajado. Era de una familia muy acaudalada de Chicago y la había cubierto de atenciones. Tras un noviazgo de un año, Lori se hizo atrás. Como Keith, Chris había «aburrido» sexualmente a Lori.

Continuamos trabajando juntos durante unos cuantos meses cuando, un día, Lori llegó a mi consulta sonrojada por la excitación. Había conocido un hombre por el que sentía una gran atracción en una fiesta ofrecida por su agencia a uno de sus atletas. Ella se le había acercado. «John es muy atractivo, está increíblemente en forma; creo que es un entrenador que tiene un campo de *fitness* en algún lugar.» Habían hablado mucho y bailado juntos. Ella le había dicho a John: «Normalmente no soporto los tirantes, pero tú estás muy *sexy* con ellos».

Tomaron unas copas y ambos confesaron que habían pasado «unos momentos fantásticos» con gente que habían conocido en la misma isla caribeña. «Me hubiese ido a casa con John anoche», dijo Lori, «pero él tenía que marcharse pronto con unos amigos con los que estaba. Nos dimos nuestros números. Si no me llama, lo llamaré yo».

Casi de inmediato John la llamó y Lori estaba deseosa de verlo pero, cuando volvió a la consulta tras la cita, parecía confundida. Resultó que John era rico y tenía influencias; era propietario de una cadena de almacenes en el Medio Oeste y acababa de comprar un equipo de béisbol de una liga menor.

Tuvieron una cena tranquila. Al descubrir quién era John, Lori se había refrenado de pronto. Me dijo: «Ahora me arrepiento de haber hablado demasiado sobre mi pasado». Prosiguió con una ráfaga de autocrítica, cosa a la que nunca hasta entonces se había abandonado. «Quizá debería haber llevado un traje. No sé cómo se me ocurrió ponerme pantalones de cuero; pensé que sólo era un entrenador que se había sentido atraído por mí en una fiesta.» Le pregunté a Lori: «¿Hizo John algún comentario de tu ropa?» «Sí, me dijo que estaba estupenda, pero lo habría dicho de todos modos.»

Pude ver que Lori, en lugar de disfrutar de la velada la había sufrido. Desde el momento en el que descubrió quién era John, había empezado a tomárselo demasiado en serio. Ya no se tocaron más ni hubo ninguna alusión sexual. Lori ya no pensó en volver a casa con él, tal como había hecho la primera vez que lo había visto.

Pese a que John todavía era alguien nuevo en su vida, Lori había entrado ya en el triángulo perpetuo y tenía que decidir entre marido y amante. Si bien el amante no estaba todavía en la escena, *existía en la mente de Lori.* Cuando estaba con un hombre casadero, se sentía perseguida por la imagen de un amante excitante que podría estar en cualquier lugar. Por supuesto, los hombres de ambas categorías lo percibían; podían intuir que Lori estaba esperando alguna aventura que no los incluía a ellos. Como es natural, difícilmente podían sentirse especiales con Lori, y, de un modo inconsciente, dudaban de su lealtad.

Lori y John salieron aproximadamente durante un mes y, cuando John insistió en el sexo, Lori se acostó finalmente con él; pero se mostró pasiva y estuvo nerviosa. La experiencia fue insulsa para ella y para él. La relación con John estaba llegando rápidamente a su fin.

Sentí apremio por ayudar a Lori a salvar, si era posible, su relación con John. Le pedí a Lori que me hablase más del tiempo que pasó con Willem para que nos ayudase a comprender qué había resultado tan especial en él. ¿Por qué había sido la aventura de las Bermudas mucho mejor que ésta?

Lori me explicó que durante el primer día que pasó junto a Willem, había sido tan agresiva como él. Habían hecho el amor en la playa y se habían masturbado mutuamente en el océano. «Nunca haría algo así con John.» Sabiendo que sólo pasaría tres días con Willem, lo llamó a la mañana siguiente para decirle que estaba caliente. Hubo mucho sexo, y mucho parloteo sexual; ella le dijo exactamente lo que quería. «Sabía que no volvería a verlo, de modo que me dije ¿por qué no?»

Con Willem no había hablado del pasado ni del futuro. El sexo con John estaba cargado de significados implícitos sobre lo que podría suponer en su futuro como pareja. El sexo con Willem había sido la esencia de sentirse libre de cargas. Con John era exactamente lo opuesto.

Lori se sentía tan deprimida que estaba dispuesta a renunciar a él y romper con la relación. Los psicoanalistas mirarían a Lori y diagnosticarían que tiene un problema clásico: la «imagen dividida». Los hombres que le gustan le recuerdan a su padre; son hombres de éxito, bien educados, de modo que tiene unos sentimientos «incestuosos» hacia ellos, lo que arruina el sexo y hace que la relación sea antiséptica. Sólo puede abandonarse con un extraño, con un hombre que da la impresión de ser tosco y pasajero. La maldición de la psique de Lori, dirían, la convierte en alguien incapaz de tener sentimientos sexuales hacia un hombre que respeta.

Pero esta teoría insinúa que una mujer como Lori no es capaz de cambiar una pauta autodestructiva. Las mujeres que tienen dificultad para disfrutar del sexo con el hombre «adecuado» no tienen por qué cargar para siempre con esa maldición. Evidentemente, no cualquier hombre será el adecuado para ti pero, si para empezar, te sientes atraída hacia un hombre son muchas las cosas que puedes hacer para mantener esa atracción y aumentarla.

Tuve que ayudar a Lori a ver que la clave consiste en actuar con la misma naturalidad cuando estás con el hombre que cuenta, que cuando estás con el hombre a quien sólo consideras alguien temporal. **La mejor manera de asegurar que mañana tendrás una buena relación sexual es practicar el sexo como si *no* hubiese un mañana.**

Durante las siguientes semanas, le demostré a Lori de qué modo estaba creando la pauta que estropeaba su vida sexual. Conseguí que se diese cuenta de lo naturalmente que había actuado con Willem y con los otros hombres que «no contaban». Con Willem había sido agresiva, le había dicho que estaba caliente; había sido sincera y había hecho lo que había querido en la cama. Durante el sexo con Willem se había mostrado apasionada, expresiva y excéntrica cuando le apetecía. **Había sentido deseo y había mostrado ese deseo.** Había logrado excitarlo a él y excitarse a sí misma.

Lori se había embarcado en ese mismo camino relajado y erótico con John antes de considerarlo un «candidato casadero». Le recordé a Lori lo atraída que se había sentido por John desde el primer momento en que lo vio. Pensó que era muy atractivo y se había empezado a preparar para tener una aventura con él con la misma anticipación que había sentido con Willem. Entonces, cuando se enteró de que John era *más*, se convirtió en *menos* para ella. Una vez que John pasó a ser potencialmente importante para su futuro, Lori se olvidó rápidamente de lo atractivo que le había parecido y, reprimiendo una buena parte de sí misma —su lado erótico— entró en un tipo de relación muy distinta. Comportándose de este modo tan nuevo —pasiva, formal y ansiosa—, estaba alejando a John y distanciándose ella misma. **Estaba permitiendo que los pensamientos sobre el futuro destruyesen el presente.**

Meses atrás, Lori había hecho que Willem se sintiese especial, atractivo, elegido. Ahora le estaba negando a John todos esos sentimientos ocultando su deseo erótico por él. Para cuando llegaron a acostarse juntos, John, que había actuado como el perseguidor absoluto, no pudo sentirse especial ni ligero, ni pudo experimentar intimidad con ella. Le expliqué a Lori que, en cualquier caso, su desgana le estaba transmitiendo a John que no era un amante romántico sino sólo alguien a quien Lori temía desagradar.

«¿Así, se acabó?», me preguntó.

Por supuesto que no podía saberlo con seguridad, pero le hice una pregunta importante: «¿Eres capaz de volver a esa primera noche en la que John te pareció un hombre atractivo y *sexy*?»

Lori me contestó de inmediato: «Algunas veces todavía lo veo así». «Así es como debe ser», le dije. «Lo que fuera que pasara después de eso te apartó del camino principal. Averigua si puedes avanzar sexualmente con John como si no tuvieses ningún futuro con él más allá del de ser amantes.»

Lori fue capaz de volver a su acercamiento inicial. Unas pocas noches más tarde, cuando Lori sintió el impulso de hacer el amor, se forzó a hablar con sinceridad y a decírselo a John, igual que lo hubiera hecho con Willem. Al hacerlo, sintió ansiedad, casi como si le estuviera haciendo una proposición a su jefe; pero John estuvo encantado. Hicieron caso omiso del espectáculo para el cual ya tenían entradas y regresaron al apartamento de él.

Esta vez el comportamiento sexual de Lori con John fue absolutamente distinto. Se permitió la libertad que se habría tomado si John hubiese sido únicamente un rollo de una noche en las Bermudas. Durante el acto, expresó todos y cada uno de sus deseos, permitiéndose hacer ruidos y mostrarse agresiva en algunos momentos. Cuando no pudo tener un orgasmo durante el coito, tomó la mano de él y se la llevó al clítoris para enseñarle cómo masturbarla. Empezó a disfrutar realmente del sexo con John por primera vez y actuó en la cama como si no importase realmente lo que él pudiese pensar de ella. Permanecieron en el camino apropiado. Por vez primera, John estaba disfrutando de todos los beneficios de hacer el amor con Lori y la intimidad entre ellos creció rápidamente.

Demostrar deseo sexual es el cumplido más importante para un hombre a quien le importas. Si se trata de un hombre decente, esto no te marca como a una mujer perdida, sino como a una mujer que se pierde por él. Como la mujer a la que él ama, y que también lo quiere sexualmente sin ocultarle su deseo, haces que tu hombre se sienta especial y le ofreces una intimidad con la que antes sólo podía soñar.

Puedes ayudar a tu hombre a desprenderse de su Apariencia Masculina durante el sexo siendo quien realmente eres. La respuesta a la pregunta de *cómo* debería ser el sexo con él es de cualquier manera que tú quieras, siempre que sea lo que verdaderamente quieres.

Afróntalo. Probablemente tengas tanta experiencia como él

Bríndale a tu hombre todo el beneficio de tu experiencia y de tu apertura hacia el sexo. En un aspecto muy importante, quizá tengas *más* experiencia que tu hombre incluso aunque él haya tenido relaciones sexuales con muchas más parejas que tú.

Antes de los veintiún años había salido con algunas chicas pero, por lo general, las llevaba a los mismos tres o cuatro lugares: a bailar a mi club social, a mi bar favorito y a un determinado restaurante llamativo en el que me saludaban en francés y yo podía presumir de mis habilidades lingüísticas. Las chicas con las que salía se quedaban o bien impresionadas o bien indiferentes ante mi francés vacilante o por mi manera de bailar, o por mí. Dado que mi experiencia y mi confianza eran limitadas, hice de mis noches algo muy parecido, como hacen la mayoría de hombres jóvenes (y también más mayores).

Aquellas chicas habían salido, como es lógico, con otros chicos distintos pero, aun en el caso de que hubiesen tenido menos citas que yo, por lo general contaban con una *variedad de experiencias* mucho más amplia que la mía. Uno de los chicos con los que una de las chicas había salido podía ser un fanático del fútbol que le había presentado a sus colegas y la había llevado a ver un partido en West Point; otro estaba arruinado y la llevó a una cena en un lugar que él y sus amigos frecuentaban. Otro tenía unos padres ricos y la llevó a restaurantes elegantes. Otro, tal vez un hombre mucho más mayor, se la llevó un fin de semana al Caribe. Casi todas aquellas chicas habían asistido a muchos acontecimientos diversos; habían visto mucho más que yo; habían ido a la ópera, al ballet y habían estado expuestas a una variedad de costumbres y entornos más amplia.

Esto suele ser generalmente así. Dado que los hombres son los que planean la mayoría de las citas, las mujeres adquieren una experiencia mucho más variada en este tema. Las mujeres, siendo las invitadas, tienen por regla entrar en el juego que los hombres idean para ellas. Y casi todos los hombres tienden a repetir su juego, permaneciendo, igual que hice yo, en los límites de su propia comodidad.

Para aquellos de nosotros que somos más adultos, ocurre lo mismo con el sexo. El hombre medio tiene su propia pauta de cómo hace su acercamiento sexual, cuándo tiene lugar el encuentro, dónde ocurre, qué cosas dice y qué hace en la cama. Prácticamente hace las mismas cosas con todas las mujeres con las que se acuesta. Esto significa que una mujer que se ha acostado con cuatro hombres cuenta probablemente con mucha más variedad de experiencias que un hombre que se ha acostado con una docena de mujeres. Ella ha probado cuatro programas diferentes, ha tenido cuatro amantes que diferían ampliamente en actitud y método. Contrariamente, el hombre en su papel de «líder», mayormente ha repetido una sola experiencia una y otra vez.

Aun cuando hayas tenido menos sexo desde el punto de vista del número de amantes, tu abanico de experiencias reales puede ser mucho más amplio que el de tu hombre. Esto no es algo negativo; es lo que secretamente excita a los hombres a largo plazo, una vez que superan su Apariencia Masculina. Está relacionado con lo que tu hombre puede considerar tu mística. Puede muy bien verte como alguien que guarda secretos profundos, un atractivo misterioso y no está equivocado. Concédele a tu hombre el beneficio de esta experiencia: tu espontaneidad, tu pasión y hasta tu conocimiento.

Incluso más allá de la experiencia, probablemente eres más fuerte sexualmente que tu hombre. Tú lo sabes y él lo intuye. Por lo general una mujer puede practicar el sexo durante más tiempo, tener más orgasmos, empezar de una manera más predecible y no sufrir los mismos problemas de impotencia que tiene su hombre. Una mujer incluso puede fingir mejor en el sexo. (Pero no lo hagas.) Mantén todas estas cosas en mente si te preocupa que esté juzgando tu cuerpo o tu actitud, o cualquier cosa en tu acercamiento.

Los hombres siempre han intentado consolarse a sí mismos por su actuación o por sus problemas de excitación culpando a la mujer. Pacientes míos que padecen problemas sexuales a menudo me dicen a propósito de sus mujeres: «Ha engordado» o «Se está haciendo mayor». Prefieren decir que la mujer no es lo bastante buena, atribuyendo su discriminación al buen gusto, que admitir que sencillamente no se excitan con la misma facilidad con la que solían hacerlo.

Cuando un hombre empieza a hablar en mi consulta de los pros y los contras del cuerpo de una mujer y menciona algunas imperfecciones físicas (como si él no tuviese ninguna), a menudo le recuerdo que cuando tenía diecinueve años esas «imperfecciones» no le habrían molestado. Habría estado desesperado por una mujer la mitad de atractiva. «Afrontémoslo», le digo, «tal vez te cueste más excitarte que antes».

Nunca aceptes un ataque; ni a tus características físicas ni a tu técnica. Morirte de hambre o ir al gimnasio cinco veces por semana no cambiará en nada las cosas si el hombre con el que estás tiene problemas de excitación o está inhibido. La *actitud* lo es todo y la preparación crítica es establecer la regla de que ninguno de los dos culpe o se disculpe por nada de lo que hagáis en la cama. Ésta es una máxima fundamental para sentirse libre de cargas y para la lealtad en el sexo. El arte consiste en mantener el sexo libre de trabas para los dos.

7

Cuando vuestros mundos chocan: sus amigos y los tuyos

Tus amigos son tu tesoro personal; han sido escogidos, puestos a prueba y han demostrado serlo durante muchos años. Dado que los elegiste tú, son incluso más representativos de tus valores y creencias que los miembros de tu familia. Diferentes facetas de ti brillan en ellos y representan aspectos de tu personalidad y de tus intereses. Has acudido a tus amigos cuando necesitabas fuerzas y has confiado en ellos a lo largo del tiempo, y, pese a que es muy probable que hayas tenido conflictos con ellos en ciertos momentos, necesitas a tus amistades íntimas y te sientes en deuda con ellas. Tu vida ha sido una aventura concurrente con la suya y quieres que siga siendo así —*con la añadidura de tu hombre.*

A medida que vas entretejiendo a tu hombre en tu vida, tienes la fantasía de que él y tus amigos harán migas de inmediato. Lo adorarán y estarán encantados con tu elección. En esta fantasía, tu hombre disfrutará de ellos y esperará ilusionado poder estar contigo en su compañía.

Quizá también te imagines a tu hombre elevando tu condición social frente a determinadas amigas. Sabes que algunas de ellas son secretamente competitivas contigo y sería un placer añadido si te envidiasen por estar con este hombre.

En conjunto, piensas en tu hombre como parte de la imagen armoniosa de tu vida social. Si él no quisiese nunca pasar el tiempo con tus amigos íntimos, tendrías que dar muchas explicaciones embarazosas. Tal vez, a la larga tendrías que escoger entre él y ellos.

Tu hombre piensa mucho menos en ti de esta manera. Claro que quiere que le gustes a sus amigos y quizá que le envidien por «su» mujer, pero que te lleves bien con ellos significa mucho menos para él. De hecho, si pudiese pasar un tiempo a solas contigo y después salir corriendo para irse con sus amigos sin ti, le parecería ideal. Contrariamente a tus amigos, que quieren incluirle a él, sus amigos no se sentirán heridos si tú no estás con él. Más bien al revés. Aun en el caso de que les gustes, él puede recibir más reconocimiento por su habilidad para dejarte en casa. Haber conseguido tener a una mujer atractiva que le permita sentirse libre de cargas y que sea leal hasta el punto de permitirle hacer todo lo que quiera indica claramente que debe ser un amante excepcional. Quizá suene cínico, pero en muchos casos no es una exageración tan grande.

El gran problema con *tus* amigos reside en integrarlos con tu hombre. Y tu gran problema con *sus* amigos es el de vencer su resistencia a perderlo por una mujer, cualquier mujer.

Por fortuna, sin embargo, aunque por ambas partes la influencia de los amigos sobre la relación amorosa es real, no será decisiva a menos que lo permitáis. No olvides nunca que **tú y tu hombre tenéis la última palabra sobre si la relación amorosa triunfará o no.** A veces, cuando las cosas vayan mal, quizá te sientas tentada de culpar a sus amigos, pero ellos no tienen el poder de hacer que él ponga fin a la relación. Y los tuyos tampoco tienen ese poder sobre ti. Si cualquiera de los dos quiere acabar con la relación, será decisión vuestra, no de vuestros amigos.

Recuerda también que, durante la relación, si se une a sus amigos para tomar decisiones destructivas, es *su* elección y la de nadie más. Las está tomando porque, en cierto modo, es lo que él *quiere*, le esté incitando alguien a hacerlo o no.

La buena noticia es que si los dos habláis y evaluáis lo que pasa cuando los amigos complican las cosas, ninguna persona externa podrá estropear jamás esta relación amorosa. De hecho, si realmente habláis con sinceridad, ninguna persona externa podrá causar nunca un problema grave entre vosotros dos.

Presentar a tu hombre a tus amigos

Cuando tú y tu hombre os unís, se funden dos mundos míticos. Tus amigos representan una parte importante de tu mito personal, pero no pertenecen al mito de tu hombre. No se convierten automáticamente en la añadidura valiosa a su vida que tú puedes imaginar que son. Para él representan un *cambio,* y, tal como hemos visto, debido a su Apariencia Masculina, tu hombre se resiste mucho a los cambios. No puedes reunirlo con tus amigos con la misma facilidad con la que introducirías a una nueva amiga en tu grupo social.

Cuando tu hombre entra en el territorio extranjero de tu vida social, todas sus necesidades básicas brotarán. Se preguntará si puede convertirse en alguien más especial para ti que tus amigos de toda la vida. ¿Puede competir por tu lealtad? Experimentará sus conflictos habituales para expresarse de un modo íntimo contigo delante de otra gente. Y todavía quiere sentirse libre de responsabilidades. Espera que tus amigos le vean como a un compañero deseable para ti, pero, a la vez, teme perder independencia y ser empujado hacia el campo de la pareja demasiado pronto.

Muy probablemente, tu hombre empezará a conocer a tus amigos mucho antes de que tú conozcas a los suyos. Algunas de tus amigas, en especial cualquiera que haya estado involucrada en el proyecto de tu relación amorosa, clamarán por conocer a tu «hombre secreto» lo más pronto posible. Pero ten cuidado. Al igual que ocurre con el sexo, socializar tiene que hacerse atendiendo a las razones correctas. Al igual que tu hombre puede percibir que estás utilizando el sexo como una moneda de cambio, percibirá si usas a tus amistades para juzgarlo o para examinarlo. Instantáneamente dudará de tu lealtad.

En mi consulta los hombres mencionan con frecuencia este tipo de cosas: «Me llevó a una fiesta ayer por la noche para que sus amigos pudiesen examinarme». El hombre se siente manipulado y cree que su valor se ha visto reducido. ¿Cuán impresionada por él puedes estar si necesitas la opinión de otras personas? Los hombres también perciben de inmediato cuándo los empujas a estar en compañía de conocidos ricos o de éxito (gente que puede no ser verdaderamente amiga) sencillamente para quedar bien delante de él. Tu hombre puede sentirse impresionado, pero sabrá que está siendo expuesto. Asegúrate de que, cuando reúnas a tu hombre con tus amigos, sea porque piensas que todos disfrutarán de la compañía del otro y se lo pasarán bien. Cualquier otro motivo es una manipulación.

Huelga decir que es una mala idea presentarlo a amigas que sean competitivas contigo o que se muestren propensas a decir cosas negativas de ti. Aunque, por supuesto, no lo sabrás siempre con antelación. Una paciente mía me explicó que se quedó perpleja cuando alguien que consideraba una amiga le dijo a su nuevo hombre: «Espero que Emily dure más tiempo contigo del que duró con los dos últimos». El hombre se sintió aturdido y mi paciente tuvo que tranquilizarlo repetidamente después del incidente.

Si te sientes exageradamente nerviosa por tener que presentar a tu hombre a cualquier mujer atractiva, quizá sea porque tienes una buena razón para que así sea. O bien es demasiado pronto en la relación para introducir una situación impredecible o bien sospechas que no está preparado para una relación monógama contigo. Pregúntate: «¿Qué es lo que me preocupa? ¿Qué situación temo?» ¿Te parece demasiado débil para resistir a un posible flirteo de una de tus amigas? O todavía peor, ¿acaso te imaginas que siempre que esté en una habitación con mujeres atractivas irá tras una de ellas? Tanto si lo ves como a una víctima vulnerable o como a un predador, el hecho es que, en estos momentos, te sientes muy insegura con él. Pregúntate por qué. Quizá tu hombre te ha ido dando razones sutiles para dudar de él. Tal vez sea muy crítico contigo o hable de otras mujeres de una manera que sugiere que su mente todavía está abierta a nuevas relaciones. Si es así, es necesario hablar con sinceridad. Tienes derecho a saber en qué situación te encuentras. Tu hombre no se merece conocer a tus amistades hasta que tú sientas que puedes confiárselas.

Por otra parte, quizá seas propensa a sentirte insegura sobre cualquier hombre que resulte importante para ti. Si es así, será mejor para ti que luches contra ese miedo confiando en la relación que tienes con tu hombre y en su afecto por ti. Te eligió entre un mundo lleno de mujeres, por lo que debes conservar la creencia de que continuará haciéndolo.

Tómatelo con calma: tus amigos le asustan más de lo que parece

Cuando empieces a presentar a tu hombre a tus amigos, ten presente que debido a su Apariencia Masculina, estará preocupado por no ser ya el número uno contigo. Es de esperar que pronto surjan discusiones sobre la lealtad. De hecho, incluso antes de que conozca a tus mejores amigas, tu hombre puede experimentar una vaga sensación de desasosiego respecto a ellas por diversas razones.

Primero, él supone que tus amigas lo saben todo de tus grandes relaciones amorosas y que las fueron siguiendo a medida que iban evolucionando. Estaban contigo cuando te obsesionaste por otro hombre, sabían que el sexo con él era algo fantástico y sufrieron contigo cuando el sueño se tambaleó y se desvaneció. Tu hombre puede temer que su relación contigo sea todavía trivial en comparación con alguna aventura amorosa de tu pasado.

Tal vez también sospeche que tus amigos están siguiendo tu relación con él a través de todos los detalles íntimos, juzgando su masculinidad a medida que tú les cuentas cosas. Su Apariencia Masculina se rebela contra eso. Le preocupa que dichos extraños estén en posición de juzgarle. Quiere que tengan una buena opinión de él, pero los teme y está resentido por el poder que ejercen sobre vosotros, aun en el caso de que le traten bien.

Tal vez suene como si te enfrentases a un dilema tan difícil de resolver como acertar la combinación de números de la lotería, pero existe una clave sencilla que brinda todas las respuestas.

Una vez que hayas decidido quién conocerá a tu hombre y cuándo, deja de pensar. No amplifiques el control sobre él. **Si reúnes a tu hombre con tus amigos, mantén las manos lejos**. Sencillamente no te preocupes por las consecuencias.

Esto significa que **no debes preparar a tu hombre sobre cómo debe comportarse o vestirse.** No lo convenzas sobre tus amigos ni les hagas propaganda. Permite que se forme su propio juicio sobre las nuevas personas que conozca sin intentar guiarle de antemano.

Cuando vuestras vidas sociales converjan, no establezcas reglas sobre la frecuencia con que tiene que ver a tus amigos, cómo debe comportarse en su compañía o qué debe sentir respecto a ellos. Él decidirá quiénes son los que le gustan y los que no. Permítele que descubra a tus amigos y que los haga suyos de un modo natural. Si le presionas durante esta fase inicial, acabará desagradándole una gente que le podría haber gustado mucho. Te considerará una persona controladora y pensará que tus amigos son una obligación.

Obviamente, cuando introduzcas a tu hombre en tu vida social, no puedes esperar que haga migas con todas tus amistades. Esperar eso es como pensar que todo será como una pintura del reino de la paz en la que todos los animales conviven armoniosamente.

Si tu hombre discute de vez en cuando con algunos de tus amigos, no te preocupes. Sin lugar a dudas también tiene desavenencias con sus propios amigos. Tal vez resulte divertido para él debatir sobre política. Es una persona firme y también lo son tus amigos. Cuando sales con gente y ves que tu hombre tiene una discusión con un amigo tuyo, no lo conviertas en un incidente importante.

Acuérdate de su Apariencia Masculina. Si te metes por medio y lo controlas exageradamente, pronto empezará a sentirse «castrado». Ningún hombre quiere sentir que necesita a un director en el patio de recreo para ayudarle a arreglárselas. Para tu hombre, expresarse libremente forma parte de su necesidad de sentirse libre de cargas. Si esto significa estar vigorosamente en desacuerdo con la gente de tu vida —con sus valores o puntos de vista—, entonces, es algo que depende de él. Tiene muchas más probabilidades de que le gusten tus amigos si puede decirles lo que realmente piensa.

Cuando le desagrada una de tus amistades íntimas

El verdadero gran problema relativo a tus amigos surge, por lo general, cuando tus amigos *no están* presentes: cuando tú y tu hombre estáis solos y tus amigos sólo están en espíritu. Tus amigos se convierten en tema de discusión o en *símbolos* de problemas entre los dos.

Lo más peligroso llega cuando tu hombre expresa una fuerte desaprobación de alguna de tus amistades. En el peor de los casos, tu hombre pasó la velada anterior con una de ellas y a ti te pareció que todo fue bien. En la superficie no viste que nada fuese mal pero, en el mismo instante en el que tu hombre se queda a solas contigo, te sorprende con un ataque contra tu amiga. Es difícil no sentir que tu hombre no te está atacando verdaderamente a ti.

Quizá lo esté haciendo y quizá no. Probablemente ni siquiera él lo sepa todavía —no lo ha decidido— pero lo que hagas en este instante demostrará ser muy importante.

Posiblemente, tu hombre tenga una razón. Tal vez ella no sea siempre la persona más sincera o tiende a ser negativa con los hombres; pero tú decidiste hace mucho tiempo que merece la pena conocerla pese a sus defectos. Indudablemente ahora, mientras tu hombre está maldiciéndola, no estás de humor para volver a evaluarla de nuevo. De hecho, probablemente sientas el impulso de preguntarle a tu hombre cómo se atreve a cuestionar a tu amiga íntima.

Pero no lo hagas. Permite que acabe de expresarse tan estúpida o detalladamente como quiera. Quizá te cueste un esfuerzo sobrehumano hacerlo pero, si quieres mantener la línea de la comunicación con tu hombre abierta, tendrás que hacerlo.

Intenta comprender lo que pasa por la mente de tu hombre mientras se está fijando en tu amiga. Casi con toda seguridad, si se está quejando de este modo, es porque **está secretamente preocupado de que tú seas como tu amiga.** Sólo existe un medio para asegurarle de que estás de su lado (pienses o no que está indebidamente agitado) y consiste en permitirle que diga lo que tiene necesidad de decir. Si le haces callar demasiado pronto, si defiendes a tu amiga antes de haber oído su queja por completo, sentirá que tú y tu amiga estáis juntas en un campo enemigo.

¿Exagerado? Por supuesto, pero ésa es la naturaleza de la Apariencia Masculina y de su necesidad de ser el número uno contigo. Más adelante quizás escojas estar de acuerdo con algunas cosas de las que dice, o estar en completo desacuerdo; pero en estos momentos tienes que hacerle ver que eres lo bastante leal para escucharle y permitirle afirmar su posición plenamente.

Resulta difícil escuchar sin interrumpir, pero recuérdate: **no tiene derecho a juzgarme por otra persona y, si me ama, no lo hará.** Acuérdate de que no has hecho nada malo. Escuchar a tu hombre, aunque esté totalmente equivocado, es la mejor manera de decirle: «Piensa lo que quieras hacia esa persona. No estás hablando de mí».

Cuando haya acabado, si consideras que tu hombre está siendo completamente injusto, díselo, aunque posiblemente estés de acuerdo con algunas de las cosas que haya dicho. Tal vez quieras decirle que tiene algo de razón. Es cierto que tu amiga tiene una actitud hostil hacia los hombres, o quizá no le prestó atención durante toda la velada o tal vez estuvo pidiendo un favor tras otro. Estás de acuerdo en que esto estuvo mal, pero es tu amiga por alguna razón y, si tu hombre te respeta, tiene que respetar esa razón.

Indudablemente puedes llegar a un pacto con él. Si realmente le desagrada esta persona, no tendría que verla tanto como lo ha estado haciendo. Por supuesto, tu hombre no tiene derecho a controlar cuánto ves a tu amiga o cuánto te sigue gustando. Y no tiene ningún derecho a pedirte que elimines a tu amiga de tu vida. Si lo convierte en un ultimátum —ella o yo— tienes que decirle que está yendo demasiado lejos. No tienes por qué modificar tus amistades. Debería ser bastante con escuchar a tu hombre, intentar llegar a una solución de compromiso y hacerle saber que cuando se siente herido, te importa.

Brent, un hombre de unos treinta años que era paciente mío, fue con su nueva novia, Jill, a la inauguración de una exposición en una galería de arte, de una amiga íntima de Jill, una pintora. En la galería, la artista le habló a Brent, sin lugar a dudas considerándolo un comprador potencial. Habló exclusivamente de ella, lo cual no supuso un problema para Brent. Después de todo, era su noche, no la de él. Brent compró uno de sus bocetos.

A media velada, la amiga de Jill se llevó a Brent a un lado y de pronto empezó a sermonearle. «Jill es muy vulnerable», empezó. «Lo pasó muy mal durante su divorcio. Espero que seas el tipo de hombre que se preocupa por las mujeres. Todos estamos un poco nerviosos de que Jill se haya zambullido en esta relación demasiado rápido y esperamos que no estés con ella sólo para aprovecharte.»

Brent se mostró tan sorprendido que se quedó casi sin habla. Naturalmente, de inmediato se sintió acusado y bajo presión. Su Apariencia Masculina se tomó mal la imagen de que los amigos de Jill hablasen de él a fin de decidir si era un «usuario» o un «proveedor». Jill le había mencionado que su divorcio había sido duro, pero estaba lejos de ser una persona necesitada. A Brent le había parecido una mujer fuerte e independiente que había entrado en esta excitante nueva relación por su propio pie.

Durante el día siguiente, Brent fue sintiéndose cada vez más enfadado por lo que había llegado a considerar una emboscada. Le dijo a Jill lo disgustado que se había sentido. «Esa mujer me hizo sentir como un criminal y habló de ti como si estuvieses en un estado de confusión total. ¿Acaso no te disgusta que lo que diga esté tan alejado de la realidad?»

Pero Jill inmediatamente acusó a Brent de ser «hipersensible». «Sólo estaba intentando ayudar», espetó Jill en defensa de su amiga. «Ella es así, siempre se preocupa por los demás.»

«Bueno, sin lugar a dudas no se estaba preocupando por mí», dijo Brent. «Ni siquiera se comportó como si yo fuera una persona.»

«¿Por qué tendría que hacerlo?», disparó Jill. «Soy yo la que ha sido su amiga durante diez años. Hace un mes ni siquiera había oído hablar de ti.»

La discusión se intensificó y las cosas fueron rápidamente de mal en peor.

Pocos días más tarde, vinieron juntos a mi consulta y se sentaron en los extremos opuestos del sofá. Fuimos reconstruyendo juntos lo que había ocurrido. Jill fue capaz de reconocer que había tomado partido por su amiga antes de que Brent hubiese acabado de expresar su queja. Había actuado de un modo reflejo, tratando a Brent como si fuese el enemigo simplemente por haber expresado su descontento. Brent fue capaz de explicar lo mal que le había hecho sentir ese comentario. Y no sólo por él, sino por Jill. ¿Por qué debería una amiga retratar a Jill como si fuese una víctima cuando la realidad era otra muy distinta? Jill finalmente admitió que el comentario también le había resultado molesto a ella. «Obviamente, no necesito a un cuidador», dijo. «Por supuesto, ojalá no hubiese dicho nada de eso.» Finalmente, volvían a estar de acuerdo.

Cuando las cosas se suavizaron entre Brent y Jill, ella explicó voluntariamente que pese a que se sentía cerca de su amiga pintora, siempre habían diferido mucho en su visión de las relaciones entre hombres y mujeres. Su amiga era cínica con los hombres y tenía tendencia a tratarlos con aspereza. Jill era consciente de ello pero, aun así, sentía la necesidad de defender a aquella mujer que había sido amable con ella en el pasado. La discusión unió a Jill y a Brent más que nunca. Después, Jill sintió que podía ser sincera sobre los matices de sus amistades; no tendría que defender a muerte a sus amigos delante de Brent. Y Brent comprendió que Jill no encarnaba los defectos de todos sus amigos. Ambos hicieron concesiones. Si alguna de sus amistades le decía algo negativo a Brent, ella hablaría en favor de él, y Brent no le exigiría a Jill que expulsase a gente de su vida sólo porque a él no le gustase.

Lo que le dices sobre tus amistades

Cuando estás con tu hombre a solas en la intimidad, quizá sientas la tentación de acurrucarte contra él y revelarle secretos de tus amigos. Cuidado. Decirle mucho a tu hombre sobre alguna amistad, demasiado pronto, puede tener el efecto de un bumerán y causarte graves problemas más adelante.

Estás en la cama pasando un rato tranquilo. Le susurras a tu hombre que una amiga íntima tuya, que él ha conocido, está engañando a su marido. O que una amiga te explicó en confianza que el negocio de su marido se estaba yendo a pique y que ambos estaban desesperados por conseguir dinero.

Sabes que tu amiga se pondría enferma si alguna vez descubriese que has revelado su secreto, pero tú confías en que tu hombre nunca dirá nada. Probablemente no lo haga pero, mientras estás hablando, quizá sientas que estás traicionando a tu amiga. ¿Por qué? Por un momento de intimidad con un hombre que, de cualquier modo, se supone que te ama. Ciertamente, tu hombre no se formará una mejor opinión de ti por ser una cotilla; lo más probable es que piense peor de ti y te cuente menos cosas de sí mismo. Quizá empiece a preguntarse si realmente puedes ser leal a alguna persona.

Comprende, también, que no siempre podrás detenerte tras una sola revelación. Tal vez tu hombre esté fascinado por la aventura secreta de tu amiga y quiera conocer todos los detalles. Acabarás diciéndole mucho más de lo que era tu intención. Cuando, meses después, no te alegrará que tu hombre te pregunte cómo avanza la aventura amorosa de tu amiga —en especial si las cosas no van muy bien con tu hombre en ese momento—. Te sentirás como si hubieses vendido importantes secretos de Estado al enemigo. Peor que eso, los *regalaste* a fin de gustarle al enemigo.

Y, por supuesto, una vez que has revelado información, ya no la puedes recuperar. Tu hombre puede utilizarla como le plazca, siempre que la mantenga en secreto. Supón que tiene una discusión con el marido de tu amiga. Ahora, a solas contigo, no sólo vilipendia al tipo, sino que utiliza *tu información* para denigrarlo. «Ese tipo es un verdadero idiota. No me sorprende que su negocio se vaya a pique. ¿Oíste lo que dijo?» Probablemente querrás hacerte invisible; podrías haber evitado todo este problema si no le hubieses revelado el secreto que te había confiado tu amiga.

Llegará el momento en el que le puedas explicar todo a tu hombre pero, casi con toda seguridad, ese momento no ha llegado todavía y no puedes hacerlo llegar apresuradamente.

Hablar de tu hombre con tus amistades

Antes de conocer a este hombre, y probablemente tras tus primeras citas con él, quizá le contases a tus amigas cada detalle de tus esperanzas románticas. Tal vez les pediste su opinión y escuchaste atentamente sus consejos. A medida que tu hombre y tú estáis más cerca el uno del otro, quizá tengas la tentación de mantener este intercambio regular de información sobre él, pero ten cuidado. Lo que cuentes a tus amistades sobre él puede volverse en tu contra.

Hay algo de magia cuando creces junto a tu hombre y la intimidad aumenta, cuando se cometen errores, cuando se desvelan los secretos del otro. Es la magia del amor, con toda su intensidad, su exageración, su incertidumbre y su conspiración. En el mejor de los casos, tú y tu hombre pensáis que nadie ha sentido nunca lo mismo, lo cual es verdad en el sentido de que nunca habíais estado juntos y no tenéis precedente.

No es posible llegar a este pináculo, esta magia sin nombre que convierte al matrimonio en una mera confirmación, si continúas comentando cada detalle de tu relación amorosa con tus amistades. Del mismo modo en el que deberías ser cautelosa y no contar demasiadas cosas de tus amistades a tu hombre, procura no explicar a demasiada gente todos los detalles íntimos de vuestra relación. Una cosa es que tengas un problema y necesites ayuda, pero otra es caer en el hábito de revelar las intimidades sólo para fanfarronear, charlar o entretener a tus amistades. Quizá hayas estado utilizando a tus amigas para mantenerte a flote entre relación y relación y mientras ésta estaba empezando. Ahora tal vez sientas que estás siendo injusta porque percibes que ha llegado el momento de que vuestras cosas sean privadas y explicarlas menos; pero las buenas amigas comprenderán intuitivamente que, a medida que la relación entre vosotros sea más seria, los detalles de tu vida adoptarán un significado especial y no podrán ser siempre compartidos tan fácilmente.

Esto también es importante por otra razón. Por raro que pueda parecer, tu hombre intuirá de un modo extraño y sorprendente que estás revelando demasiada información personal de él a tus amigas. Debido a su Apariencia Masculina (que siempre va acompañada de una pizca de paranoia) siente un temor intenso a ser juzgado o analizado.

En varias ocasiones me he encontrado con hombres en mi consulta que sin venir a cuento decían: «Creo que está hablando de mí con la gente». Cuando les pregunto por qué, al principio les resulta difícil hallar una respuesta. Después identifican un cambio sutil en la actitud de la mujer, como si le hubiesen dicho que lo «tratase» de un modo diferente y el hombre percibe lo que él considera artificialidad. El cambio puede ser tan sutil como que ella no esté inmediatamente libre como solía estarlo o que empiece a presionar al hombre a fin de que haga algo como si se tratase de un hito o una cuestión de honor. Inesperadamente, está obsesionada con que celebre el día de Acción de Gracias con la familia de ella o con que la acompañe a la reunión con las compañeras del instituto.

El hombre siente que esta exigencia repentina tiene detrás una red de apoyo. Prácticamente puede escuchar a sus amigas insistiendo: «Si te ama, lo hará por ti». Él se siente mucho más inquieto por la idea de que la relación está siendo examinada y diseccionada por otra gente que por cualquier cosa que la mujer le esté pidiendo.

Si realmente quieres convertir a tus amigas en unas horribles intrusas en tu vida amorosa, sencillamente cítalas en una discusión: «La mayoría de la gente que estuvo en la fiesta pensó que estuviste pasmosamente callado. Se preguntaron si te pasaba algo». O utilízalas como un sistema de palanca: «Jan y Rick se irán una semana a un hostal en otoño. Y Melissa y su novio se van a las Bahamas. Realmente no comprenden por qué tú no irás conmigo a ninguna parte».

No permitas que tus amistades, ocultas en un segundo plano, den al traste con tu relación amorosa. Si quieres algo, debería ser porque *tú* lo quieres. Si sientes algo, debería ser porque *tú* lo sientes, no porque te lo aconsejen tus amistades. Tus amigas son una gran fuente de riqueza para ti y tal vez para tu hombre. Permite que ese papel sea suficiente. No les permitas acercarse demasiado para que no ejerzan una presión excesiva sobre su psique.

Entrar en el mundo de tu hombre

Tu hombre está mucho más solo en el mundo que tú. Como mucho, probablemente tenga uno o dos amigos íntimos, pero no tiene la misma intimidad que tú tienes con tus amigas. Su vínculo con esos amigos probablemente consista en gran parte en sus intereses compartidos. Él y sus amigos no tienen nada parecido al seguimiento diario y la continuidad que tú mantienes con tus amigas. Su amigo, Todd, no le llama para preguntarle cómo le fue aquella charla con su jefe la semana pasada o si disfruta poniéndose aquella ostentosa chaqueta de piel que se compró. Tal como hemos visto, la mayoría de los hombres no «pierden tiempo» hablando de sus sentimientos. De hecho, sus amigos no le darían importancia al hecho de que desapareciese enteramente de escena durante ciertos períodos de tiempo.

Los hombres hablan mayormente de cosas objetivas. Quizá tu hombre hable de acciones con sus amigos o les pregunte si van a ir al partido por la noche o a pescar, o si vieron a Tiger Woods el domingo. Las preguntas del tipo: «¿Cómo va el negocio?» o «¿Cómo está la familia?» responden más a un ritual que a la realidad. La mayoría de hombres *hacen* cosas juntos, como ir a su restaurante preferido, jugar a tenis o ir al concierto de un determinado artista que está de gira en la ciudad. Probablemente conocerás a sus amigos de una manera informal. Si los otros de su grupo se llevan a sus parejas a algún lugar, él querrá que también lo acompañes.

Para un hombre no es infrecuente presentar a su nueva mujer a sus amigos sin haberles explicado nada de ella, ni siquiera que existe: «Por cierto, vendré con Jane». «¿Quién es Jane?» «Oh, es una chica a la que he estado viendo desde hace dos meses.» «No hay problema. ¿Qué tal a las ocho?» «Bien.» Tu hombre podría participar en un diálogo así aunque estuviese locamente enamorado de ti. Es sólo que en la fase inicial los hombres tienden a no mezclar la aventura amorosa con el resto de su vida del modo en que lo hacen las mujeres. Pero, como hemos visto, la vida actual de tu hombre no le satisface de verdad. Siente profundamente que le falta algo: una mujer con la que pueda tener intimidad y compartir sus experiencias. Secretamente te quiere con él cuando progrese en las situaciones sociales y se enfrente a nuevos desafíos, pero su Apariencia Masculina le inhibe y le cuesta presentarte. Para sus amigos, él es un espíritu libre; le resulta difícil cambiar de repente el papel que desempeña ante sus ojos y empezar a presentarse como parte de una pareja.

Y existe otra cuestión. Tu hombre quizá tenga miedo a declarar su compromiso contigo llevándote a todas partes y permitiendo que el mundo se entere de lo importante que eres para él. Sabe que una vez que hayas sido vista repetidamente con él, el riesgo aumentará. Después de un tiempo, la gente puede esperar de él que se case contigo e, incluso ahora, tras conocerte, ya empezará a esperar que le acompañes en muchos acontecimientos sociales.

Pero, independientemente de lo difícil que le resulte a tu hombre hacer esta transición, **tienes que insistir en participar en su vida social**. Si él no ha dado un paso para presentarte a nadie tras un período razonable de tiempo (pongamos seis citas), monta un número. Éste es uno de esos momentos en los que *tienes que* desafiar su necesidad de sentirse libre de responsabilidades pronto. Si no lo haces, la relación amorosa se habrá acabado antes de empezar. No se trata sólo de que resulte hiriente para ti que él te excluya, sino que, dejándote fuera, tu hombre también está reforzando su miedo a integrarte en su vida. No se formará una opinión mejor de ti sino que, si no te introduce en su vida social, tendrá una opinión *peor*.

Los hombres no se casan con las mujeres que mantienen en la sombra. Se casan con la mujer que *pertenece* a su círculo social y la única manera de demostrar que tú formas parte de él es insistir en estar ahí. Si no lo haces, otra mujer lo hará. Al insistir, le estás diciendo a tu hombre que eres una candidata real para el matrimonio y que será mejor que él te vea de ese modo. Hazlo y su Apariencia Masculina empezará a trabajar a tu favor. Querrá demostrarle a todo el mundo que puede asumir la posesión total de esta mujer —a saber, tú— a quien sus amigos ya han conocido y a los cuales les gusta.

El lado negativo es que, si se niega en redondo a presentarte a la gente importante de su vida, entonces significa que no está pensando en el matrimonio. Es mejor descubrir este hecho doloroso ahora y seguir tu camino que descubrirlo más tarde cuando él todavía sea más importante para ti.

Quizás estés nerviosa antes de conocer a sus amigos, especialmente si te ha estado diciendo lo maravillosos que son, pero recuerda que, del mismo modo que a él no le gustarán todas tus amistades, a ti no te gustarán todas las suyas. En geometría aprendimos que las cosas iguales a la misma cosa son iguales entre sí, pero esto no es aplicable a las relaciones. Son demasiado complicadas. No perder esto de vista disminuirá mucho tu presión.

Conocer a la gente de su vida no significa que vayan a pasarte revista. No estás a prueba. Tranquilízate comprendiendo que, de cualquier modo, probablemente sus amigos no vayan a hacerle una evaluación de ti. Por lo general, los hombres no ofrecen críticas no solicitadas a sus amigos, más allá del «Es agradable» o «Es guapa». No les preocupa tanto con quién pase el tiempo tu hombre. Para que uno de sus amigos interfiriese tendría que producirse un verdadero choque de personalidades.

No sólo sus amigos no hablarán de ti después de haberlos conocido, sino que probablemente no hablarán *de nada* en absoluto hasta que surja algo que les resulte interesante. Los hombres no se llaman unos a otros después de los acontecimientos a fin de examinarlos, tal como hacen las mujeres. Comparados con ellas, los hombres miran mucho más hacia delante que hacia atrás, una diferencia que tiene ventajas y desventajas.

Plantéate conocer a sus amigos del mismo modo en que te planteaste vuestra primera cita. Tu objetivo principal debería ser el de permanecer relajada y pasártelo bien. Buena parte de los consejos dados para la primera cita son aplicables aquí. Haz preguntas a la gente, pero evita preguntar por su currículum. Disfruta de la gente que conozcas tanto como puedas.

Intenta conectar con todos, pero comprende que si un amigo suyo tiene una reacción hostil hacia ti, poco podrás hacer al respecto. Tal vez a alguien le resulte difícil aceptarte porque él o ella se sentían cómodos con la última novia de tu hombre. No puedes evitarlo. No eres un repuesto. Si alguien en la misma habitación quiere que la esposa difunta de tu hombre resucite o no le gusta tu religión o condición social, no es tu problema.

De nuevo, recuérdate a ti misma el siguiente mantra: **nada de lo que los amigos de tu hombre puedan hacer o decir sobre ti es importante, a menos que él vea las cosas como ellos.** Si tu hombre es un muermo que se pone en tu contra porque no le gustas a sus amigos, no hay nada que puedas hacer. ¿Y por qué ibas a querer hacerlo?

Hay un escollo que merece una mención especial. Si una de las nuevas personas que conoces decide ponértelo difícil, tienes todo el derecho a protegerte, pero intenta hacerlo sin poner a tu hombre de por medio. No hagas que pelee por tus batallas. Nada destruirá más rápidamente la sensación de sentirse libre de cargas de tu hombre que tener que tomar partido entre sus viejos amigos y tú.

Mujeres pacientes mías a menudo me han descrito cómo habían sufrido los ataques de alguna de las amistades de su hombre. Nueve de cada diez veces es *otra mujer* quien las ataca. Descubrirás que los amigos de tu hombre muestran poco interés en que te vea o no, pero ten cuidado con cualquier antigua amiga de tu hombre que se sienta posesiva con él. (Es probable que se trate de una mujer que te susurra lo que a él le gusta y le disgusta o que se refiere a experiencias pasadas que vivieron juntos. Actúa como si fuese propietaria del hombre.) El hecho de que esta Némesis quiera a tu hombre para ella o que su naturaleza la lleve a competir con todas las mujeres que conoce carece de importancia. La idea subyacente es la misma. Quiere que desaparezcas.

Mi paciente Pat se quedó totalmente descolocada cuando una amiga de su novio, Brian, le comentó: «Me imagino que te volveré a ver el fin de semana de Acción de Gracias, si es que todavía estáis juntos». Pat se quedó perpleja y unos instantes después se sintió furiosa por el comentario, pero, por miedo a decir algo terrible e imperdonable, no dijo nada en absoluto; sencillamente se quedó hirviendo de rabia.

Aquella noche, cuando Pat estuvo a solas con Brian, fue incapaz de contenerse por más tiempo. Se enfrentó a él, como si hubiese sido *él* quien la hubiera despreciado. «No lo niegues», dijo ella con rabia. «Tienes que haberle dado a esa zorra la impresión de que yo podría no estar aquí dentro de dos meses», le gritó a Brian. «Harías bien en decirle que vas en serio conmigo», y le puso el teléfono en las manos.

Brian no hizo la llamada. Eran las dos de la madrugada y al día siguiente las cosas se calmaron, pero, de manera muy clara, Pat había puesto freno a la relación presionando a Brian en un momento en que ella misma no habría sabido qué hacer. Al menos durante unos cuantos días, Brian estuvo deseando no haber introducido jamás a Pat en su círculo.

Sentirte herida cuando te ves atacada es propio de la naturaleza humana, pero si corres a tu hombre y le pides que te defienda te estás poniendo en manos de tu asaltante. Tu oponente quiere dividirte, pero no podrá hacerlo si tú mantienes la calma. Cualquier persona puede decirnos algo hiriente y ofuscarnos; resulta fácil. Y muy pocos de nosotros somos lo bastante ingeniosos o tenemos la facilidad de palabra como para que se nos ocurra de inmediato la respuesta perfecta y devastadora.

Si no eres capaz de hacerlo, perdónate a ti misma pero no permitas que te venzan. No tienes por qué retirarte sin hacer nada.

Como terapeuta, recomiendo una técnica sencilla para hacer frente a los insultos velados. Basta con que pidas a la persona que te hizo el comentario que te lo aclare. La agresora dice: «Te veremos para Acción de Gracias si todavía estáis juntos». Exige tranquilamente una aclaración. «¿Qué quieres decir con "*si* todavía estamos juntos"?» Esto fuerza a la persona a brindarte algún tipo de explicación. «Bueno, Brian nunca dura mucho tiempo con las mujeres.»

Con tan sólo tu primera pregunta la malicia de la persona queda más al descubierto. Y no te detengas ahí. Pide más aclaraciones.

«¿Me estás diciendo que Brian me va a dejar sin lugar a dudas? ¿Cómo lo sabes?» A estas alturas la otra persona, él o ella, ya estará lamentando haber hablado. Probablemente tu oponente hará marcha atrás y dirá que todo ha sido un malentendido, lo dejará correr y aprenderá la valiosa lección de que es mejor no meterse contigo. Cuando no permites que se metan contigo, la otra persona piensa que no merece la pena intentarlo.

No estás siendo combativa, sencillamente *estás tirando de la lengua a la otra persona* y forzándola a expresar esta fea insinuación con un lenguaje claro a fin de que todo el mundo pueda verlo. Si Pat hubiese actuado así, Brian hubiese visto lo que realmente estaba pasando. Hubiese iluminado la hostilidad de la otra mujer hacia ella y hubiese demostrado que era una persona competente y capaz de cuidarse de sí misma y de permitir que su hombre se sienta libre de cargas.

Tras utilizar esta técnica, si después decides comentar la interacción con tu hombre, puedes hacerlo con ligereza. Entonces, si tu hombre te dice: «No puedo entender por qué lo ha dicho. ¿Quieres que hable del tema con ella?» podrás responder tranquilamente: «Oh, no, no es necesario. Ya me he ocupado de ello».

Equilibrar la relación amorosa con la amistad

Cuando la relación amorosa florece, probablemente tú y tu hombre os apartaréis de algún modo del mundo exterior. ¡Para qué pasar tiempo con los amigos cuando resulta mucho mejor estar los dos solos! Tus amigos y los suyos todavía forman parte del cuadro, pero están en un segundo plano. No acudes a ellos para obtener apoyo tan frecuentemente como antes, para buscar intimidad o para que te ayuden a sentirte especial. Os tenéis el uno al otro.

Cuando te apartas del mundo, quizás empieces a ver que algunas de las personas en la periferia de tu vida no eran verdaderamente amigas. Era gente con la que matabas el tiempo: la persona que realmente no te gustó nunca pero que te hacía compañía durante tus momentos bajos, la que te criticaba regularmente y no te apoyaba pero te invitaba a algunos lugares, la amiga que no soporta a los hombres y que sin lugar a dudas le encontraría pegas a esta relación, la depresiva por la que sentías lástima. Mucha de esta gente desaparecerá para siempre.

Pero tras algunos meses o quizás un año, ambos, tú y tu hombre, llegaréis a la segunda fase en la que echaréis seriamente de menos a unos pocos amigos íntimos a los que no habéis estado viendo lo bastante. Independientemente de lo mucho que os améis, es imposible satisfacer por completo las necesidades del otro. Recordarás cosas especiales que obtenías de determinadas personas y anhelarás volver a conectar con ellas. Ambos estaréis ansiosos por obtener una estimulación externa y empezaréis a preocuparos porque tal vez excluisteis a algunas de vuestras amistades demasiado abruptamente cuando os enamorasteis.

Buscaréis de nuevo a estos amigos con la esperanza de que os vuelvan a aceptar y probablemente lo harán. A la mayoría de los hombres no les importará que recuperes las relaciones con tus viejas amistades. Una vez que tu hombre se sienta seguro de tu amor, apenas lo advertirá. No se sentirá amenazado por tus amistades si sabe que él es el número uno.

Es la mujer quien con mayor frecuencia se asusta cuando su hombre decide restarle un tiempo a la relación amorosa para pasarlo con otras personas. Puede resultar alarmante porque parece una especie de regresión a la vida que tenía antes de que aparecieses tú. No puedes evitar preocuparte de que se esté cansando de ti, desenamorándose en lugar de avanzar hacia el compromiso. Sin embargo, lo más probable es que esté anhelando determinadas afirmaciones de su masculinidad en las que siempre ha confiado.

No cabe duda de que *tú* eres la prueba principal de su masculinidad, pero, igual que hacías tú, él obtenía «suministros emocionales» de algunos individuos particulares. Quizá tú tengas una amiga especial que siempre hace los comentarios adecuados sobre las cuestiones de negocios, otra con la que puedes ir a comer fuera, ser frívola y hablar sobre zapatos, y otra a la que le encanta entrar en los detalles más sustanciales de las personalidades de la gente. Toda esta gente te permite expresar diferentes facetas de tu naturaleza. Es lo mismo para él. Necesita a hombres con los que mantener «conversaciones de hombres» o para jugar un partido de tenis seriamente o para hacer de hombre bien informado —en definitiva, para afirmar su masculinidad con ellos como ha hecho siempre.

Cuando mencione que quiere hacer unas cuantas cosas con sus amigos durante el fin de semana, el desafío para ti consistirá en que tu expresión no denote que te estás viniendo abajo. Por encima de todo, no des a entender que tu hombre te está traicionando. No le golpees con la compasión de ti misma. Deja la expresión «pobre de mí» fuera de la ecuación: «¿Acaso ya no me quieres? Estoy tan desilusionada. Pero los sábados por la mañana estamos siempre juntos».

¿Por qué dar a entender que te prometió que desaparecería del mundo para pasar su vida sólo contigo? No te hizo esa promesa y, aunque te la hubiera hecho, no podría cumplirla de ninguna manera. Si lo obligas a escoger entre ellos o tú, estarás desafiando su necesidad de sentirse libre de cargas de un modo que ningún hombre puede aceptar. Tú tampoco podrías hacerlo. Ningún amante vale tanto como para rechazar al mundo entero.

Una vez que comprendas que tu hombre necesita relacionarse contigo *y* con otras personas, no te sentirás tan estresada. Antes de que aparecieras, tenía a sus amigos, pero no una relación romántica. Después, durante un tiempo, la relación amorosa fue suficiente. Había acumulado lo bastante de sus amigos para sobrevivir durante un tiempo sin ellos, pero su necesidad de volver a abastecerse siguió creciendo y ahora está aflorando a la superficie.

No conviertas vuestra historia en una competición por su afecto entre tú y los demás. La verdadera intimidad no significa aferrarse. El retorno a sus viejos amigos es uno de los primeros grandes exámenes sobre tu disposición a dejar que se sienta libre de cargas. Si lo superas, le estarás brindando un gran regalo.

Tu desconfianza —o celos— desaparecerá cuando comprendas que no está recuperando una pícara pauta varonil. Sólo está actuando como una persona normal que es lo bastante afortunada de tener amigos. Da la bienvenida a sus idas y venidas que estén dentro de lo razonable (igual que, por supuesto, él debe dar la bienvenida a las tuyas) y comprenderá que su relación amorosa contigo puede respirar y puede ser duradera. Cada vez que se marche y vuelva, tu relación amorosa será más fuerte que nunca.

Tus propias amistades probablemente se alegrarán de verte más y la mayoría de ellas también tendrá una opinión positiva sobre tu relación, pero ¿qué hacer si te enteras de que una de tus amigas se opone totalmente a tu nuevo hombre? Indudablemente, estás obligada a escuchar en qué se basa su objeción. Quizás ella haya visto algo que tú has pasado por alto o que has sentido agudamente pero que has intentado negar. No permitas que el amor te ciegue por completo a lo que los demás te puedan decir.

Pero recuerda que esta relación es tuya y está en tus manos. Las recomendaciones de los demás no deberían ser importantes si tú eres feliz. Con frecuencia, alguna amiga te dará un consejo basado en la persona que solías ser. «Pero ¿cómo puedes casarte con un maestro de escuela cuando siempre habías dicho que el dinero era tan importante para ti?» «Pero si decías que no querías tener hijos nunca.» Tal vez tus valores o intereses hayan cambiado desde que has conocido a este hombre. Ninguna amiga tiene el derecho a encerrarte para siempre en la persona que una vez fuiste.

Probablemente tú y tu hombre habéis cambiado desde que os conocisteis. Vuestros nuevos objetivos contienen un poco de cada uno de los dos y cualquier persona que te respete debería comprenderlo.

Tus amistades pueden enriquecer tu vida de múltiples maneras. A menudo, sus percepciones pueden ampliar las tuyas, pero, al final, tú eres quien debe tomar las decisiones más importantes de tu vida. Y de todas las decisiones que tomes, ninguna es más importante que la elección del hombre con el que te casarás.

TERCERA PARTE

Ocuparte de ti misma

8

Cómo discutir con un amante

Hasta ahora, hemos estado hablando de forma extensiva sobre las necesidades de tu hombre. Tu objetivo ha sido el de llegar a él de un modo en el que ninguna otra mujer ha llegado y el de crear un ambiente propicio para que la relación creciese; pero, obviamente, no puedes pasarte la vida entera complaciendo a tu hombre. Tú también tienes necesidades y te debes a ti misma satisfacerlas con la misma intensidad que le has consagrado a él.

A medida que os vayáis adaptando a la relación y ésta se convierta en algo real, inevitablemente habrá asuntos en los que tú y tu hombre tengáis diferentes puntos de vista o preferencias. Incluso dos personas enamoradas, que quieren las mismas cosas en la vida, en ocasiones pueden olvidarse de las necesidades del otro. Cuando esto ocurre, la persona que se siente desposeída tiene que hablar en su favor. Si da la casualidad de que esa persona eres tú, tendrás que adoptar una postura y afirmarla. A menos que te defiendas al principio, y tal vez repetidamente, las carencias pueden causar verdaderos problemas.

Quizá te atemorice enfrentarte a un hombre que lleva puesta su armadura de la Apariencia Masculina. Su primera reacción ante cualquier desafío puede ser la de sentirse amenazado, hacerse el duro y no escucharte. Precisamente por esta razón —porque los hombres pueden mostrarse tan intransigentes— con demasiada frecuencia las mujeres se olvidan de sí mismas a fin de evitar cualquier tipo de enfrentamiento. Una vez que entablan una relación seria, se limitan a sí mismas mucho más de lo necesario.

Probablemente has estado tan ocupada estudiando a tu hombre e intentando brindarle lo que quiere que te has olvidado, cuando menos, de algunas de tus propias necesidades. Admitámoslo, en cualquier caso, las mujeres tienden a comprometerse mucho más que los hombres.

Examina cualquier relación y comprobarás que normalmente es la mujer la que hace las grandes concesiones a fin de que no surjan conflictos. Por lo general, es más frecuente que la mujer sea la que abandona su apartamento cuando se van a vivir juntos. Es más habitual que la mujer renuncie a sus aficiones a fin de que los dos puedan estar más tiempo juntos. Organizará sus vacaciones para que se adapten a las de él mucho más frecuentemente que a la inversa.

De hecho, muchas mujeres a menudo hacen casi cualquier cosa para evitar los enfrentamientos con su hombre. Esto puede incluir la mentira. Puede parecer más fácil actuar secretamente y de este modo evitar una discusión con tu hombre sobre determinadas cuestiones. Cuando te pregunta con quién has comido, sueltas abruptamente: «Con mi amiga Julie», en lugar de decirle que has invitado a tu antiguo novio, Bob, a su comida anual de cumpleaños. Lo has estado haciendo desde hace diez años y sabes que se trata de algo completamente inocente. Bob está felizmente casado y tú ni siquiera puedes recordar la época en la que te sentiste atraída por él. Los dos sois amigos leales y realmente no quieres tener que dar explicaciones sobre ti misma a este nuevo hombre, quien tal vez sea alguien celoso y susceptible de inquietarse cuando otros hombres aparecen en escena.

Pero los subterfugios siempre son contraproducentes. Obviamente, si mientes, te arriesgas a ser descubierta y, debido a su profunda necesidad de lealtad, este hombre puede sentirse terriblemente traicionado. Hará oídos sordos a la explicación de que mentiste porque él no te dio otra opción. Creerá que debe hacer justicia y quizá te castigue más adelante.

Intenta evitar tanto las mentiras como las concesiones exageradas, porque, de cualquiera de las dos maneras, estarás introduciendo un pesimismo que resultará terrible para la relación. En cierto sentido, hacer cualquiera de estas dos cosas es una forma de renunciar a la relación amorosa como un intercambio de afecto abierto. Al decidir no decirle a tu hombre lo que realmente sientes, lo que realmente *quieres*, en realidad estás diciendo: «No confío en ti y te tengo *miedo*».

Sabes que la relación amorosa que siempre habías tenido en mente antes de conocer a este hombre era sincera y abierta. Te imaginabas una relación en la que ambos podríais hablar libremente de vuestras necesidades. Sé fiel a ese sueño. Expresa claramente cuáles son tus necesidades y hazlo con la misma seguridad que tendrías si no te diese miedo perderlo.

No condenes a tu hombre dando por sentado, de entrada, que intentará impedirte que vivas como tú deseas. Y no des por sentado que no está dispuesto a corregir nada en su propio comportamiento. Bastantes mujeres que se han conformado con una vida de silencioso resentimiento y sacrificios podrían haber obtenido más si hubiesen confiado en sí mismas y hubiesen confiado lo bastante en sus hombres para recibir más, y, en caso de ser necesario, luchar para obtenerlo.

Tu hombre puede parecer difícil en ocasiones, pero probablemente no es un caso perdido. Aunque su Apariencia Masculina pueda hacer que sea irritable e hipersensible, esto no nubla enteramente su razón. Vive en el mundo real y sabe, aunque sea poco, lo que es el juego limpio.

Si la relación tiene que prosperar, es necesario que pueda respirar y podrá hacerlo sólo si *ambos* respiráis, lo que requiere que obtengas el oxígeno que necesitas. Aunque te concentres en sus necesidades, pon de relieve también las tuyas. Persigue lo que quieras directamente, evita los rodeos y, así, el compromiso por el que estás trabajando será satisfactorio para ambos.

No necesitas el permiso de tu hombre para vivir

Antes de conocer a este hombre, tomabas decisiones de manera independiente a diario y actuabas de acuerdo con ellas. Cuando tus decisiones involucraban a otras personas, las discutías con ellas.

Quizá tú y una amiga tuya decidisteis compartir los gastos de un alquiler para el verano, de modo que buscasteis un lugar juntas y sopesasteis el coste. No le preguntaste a tu amiga si le parecía bien alquilar una casita de campo para pasar los fines de semana; sólo le preguntaste si quería unirse a ti. Incluso cuando buscaste el consejo de alguien —su opinión respecto a un trabajo que estabas considerando o sobre si un conjunto determinado era el adecuado para llevar durante un acontecimiento— no le estabas pidiendo a esa persona permiso para aceptar el trabajo o ponerte el traje pantalón. Estabas recabando información que te ayudase a decidir qué hacer.

Así es como debería ser con tu hombre.

No empieces a pedirle permiso para hacer las cosas que quieres hacer. Tu hombre es, en el mejor de los casos, tu igual, no un superior o un juez. Tal vez quieras conocer su opinión, pero no deberías tener que persuadirle de que lo que quieres hacer es justo y fundado, no más de lo que él debería persuadirte a ti de que es igualmente justo ver los partidos de las finales de béisbol.

Una gran cantidad de mujeres adoptan la costumbre de otorgar a sus hombres la toma de decisiones. Desde el principio, atribuyen este papel a su hombre, como si fuese un derecho de nacimiento, aun cuando él haya demostrado que es mucho *menos* competente en general que ellas. Se esclavizan a sí mismas porque creen que la relación es más importante para ellas que para su hombre. Viven con la imagen reiterada de su hombre enfadándose o alejándose de ellas si hacen algo que no les complace.

Evita este error que se fundamenta en dos cosas: el miedo a tu hombre y una falta de respeto hacia ti misma. Hemos visto que, como consecuencia de su Apariencia Masculina, tu hombre puede presentarse como alguien capaz de marcharse en cualquier momento, oculta su necesidad de intimidad y habla de cuánto valora la libertad. Pero tú conoces la verdad: te necesita tanto como tú a él. Si te aferras a esta relación de un modo erróneo, arriesgando tus propias necesidades, te estarás defraudando a ti misma y, probablemente, malbaratando una vida y una relación.

A menos que este hombre sea un estúpido perdido, la mujer que realmente quiere no es alguien que le otorgue el poder y después espere a recibir instrucciones, sino alguien que posea una mente propia y con la valentía de expresar sus propias opiniones.

Toma el mismo tipo de decisiones que has tomado siempre

Es posible evitar muchas discusiones sencillamente viviendo tu vida, amorosamente con él y, en ocasiones, felizmente sin él. Muchas cosas a las que él no está acostumbrado no le parecerán extrañas si las haces de un modo natural y las das por sentado. Obviamente, tiene derecho a saber cuándo no vas a estar disponible o cuándo va a entrar gente en su vida o en su casa; pero también es tu vida, o tu casa, y la mejor manera para que aprenda cómo es una relación es permitiéndole que vea cómo funciona.

En lugar de pedirle permiso a tu hombre para vivir, haz sencillamente las cosas que quieres hacer. A menos que le conciernan directamente a él, siempre será mejor que tú tomes tus propias decisiones y que después actúes en consonancia. Quizá no le entusiasme que te unas al equipo de béisbol y que por esa razón llegues tarde a casa algunas noches por semana, pero, si a ti realmente te gusta jugar y disfrutas de la camaradería, no necesitas pedir permiso para hacerlo. Dile que te vas a apuntar y hazlo. Da por hecho que si ve lo divertido que es para ti, no se molestará. Incluso puede aprovechar el tiempo en el que tú estés ocupada para ponerse al día con sus amigos o su trabajo, o recuperar horas de sueño.

Sabes los actos que son traicioneros y los que no lo son. Si, en tu opinión, lo que quieres hacer es razonable, entonces sencillamente hazlo. No des por sentado que se pondrá furioso. Si cenabas regularmente con tu ex marido para hablar de vuestro hijo, continúa haciéndolo. Si él protesta a causa de esas cenas, sé receptiva a sus sentimientos y permítele que los exprese plenamente. Si él es razonable, indudablemente podrás explicarle de qué has hablado, pero no debes poner fin a la comunicación regular con el padre de tu hijo. Si te gastabas una cantidad determinada de dinero en ropa u otros lujos, continúa haciéndolo. Si habías planeado ser anfitriona de una serie de acontecimientos en tu apartamento, sigue adelante y organízalos.

Informa a tu hombre de cualquier cosa que consideres necesaria para tu felicidad. Si alguna de las cosas que estás haciendo o planeas hacer le causa un problema muy grande, te debe una explicación abierta y sincera de la razón por la que lo desaprueba y necesita dejarte claro que entiende exactamente lo que está en juego para ti.

Las mujeres que convierten a sus hombres en sus jefes son tan responsables del desequilibrio como los hombres. Tener una relación romántica no significa renunciar a tu autonomía.

Los principios básicos de la discusión

Pero ¿qué ocurre si tu hombre intenta ascender de rango en su imaginación y actuar como si fuese tu superior? «Si vamos a vivir juntos de ninguna manera puedes gastar tanto dinero en la peluquería cada mes.» O: «¿Por qué tienes que ser la última en marcharte del despacho cada noche? Tienes una relación. Tenemos suficiente dinero sin que tengas que obtener más ascensos».

Obviamente, cuando tu hombre protesta por algo que estás haciendo o que quieres hacer, tienes que defenderte y hablar alto y claro si sigue actuando de una manera hiriente o destructiva para ti.

Discutir con los seres queridos forma parte de la vida. Lo importante es saber *cómo* hacerlo a fin de limitar la discusión y que ésta sea relevante. Saber cómo discutir te permitirá evitar el tipo de comentarios hirientes susceptibles de representar una amenaza para la relación.

Tal como ya debes haber experimentado, las emociones son muy intensas en una relación amorosa. Comunicarte con tu hombre es más difícil a causa de su Apariencia Masculina, que puede llevarlo a mostrarse rígido e hipersensible. Puede que rápidamente vea deslealtad en ti cuando meramente estás insistiendo en un derecho básico o haciendo lo que has hecho siempre. La necesidad infantil de tu hombre de sentirse especial puede hacer que se comporte de un modo injustamente exigente hasta que vea la luz, pero su debilidad no debería desanimarte para que adoptes la postura que consideres conveniente cuando creas que debes hacerlo. Y si sabes cómo discutir, por lo general es posible superar hasta el obstáculo de su Apariencia Masculina.

La mejor manera de entender de qué modo hay que discutir es empezar por establecer qué *no* es una discusión. El objetivo de una discusión no es el de humillar a la otra persona, ni el conseguir que ésta se disculpe por otras veinte cosas que te hizo, ni el de que admita que te ha maltratado durante los últimos meses o años, ni el de vengarse de ella por muchas cosas que te han estado inquietando secretamente, ni el de forzarla a embarcarse en un amplio programa de mejoramiento de su conducta.

La discusión tampoco tiene el objetivo de hacer que una persona se sienta tan culpable o arrepentida que te cubra de regalos y disculpas repetidas durante un mes seguido.

Si sientes que quieres esas cosas, entonces no necesitas leer este capítulo sobre cómo discutir. Existe un grave problema en la relación o al menos tú sientes que es así. Es más grande que un único asunto sobre el que quizá quieras discutir para resolverlo. Algún giro importante en la relación te está disgustando y necesitas examinar el siguiente capítulo, que puede aportarte alguna comprensión si el problema se convierte en algo más serio.

Una discusión es —o debe ser— un desacuerdo en el que intentas convencer a la otra persona de una única cuestión. Las dos reglas básicas para discutir pueden resumirse en la siguiente estrategia: mantén la amistad con el inconsciente de la otra persona. Quieres convencer a la otra persona sin encenderla ni empezar una guerra. Esto es válido para *cualquier discusión*, no sólo para la que puedas tener con tu hombre.

Las dos reglas para seguir siendo amiga del inconsciente de la otra persona se basan en determinadas verdades eternas de la naturaleza humana:

1. La gente necesita gustarse a sí misma, ya tenga razón o ya esté equivocada.
2. La gente necesita sentir que es coherente.

Si piensas en ello, verás que ambos puntos resultan intuitivamente verdaderos.

Piensa, en primer lugar, en la necesidad que tenemos de gustarnos a nosotros mismos. Imagínate que has tenido una acalorada disputa con una buena amiga tuya. Te acusó de haber revelado un secreto, pero en realidad no lo hiciste. La acusación es bastante terrible en sí misma, pero cuánto peor sería si hubiese añadido: «*Siempre* has sido una bocazas y no te importa lo que sientan los demás». Tu amiga te estaría diciendo que no te gustases más a ti misma. Esto sería una condena eterna para tu carácter y podría poner fin a la amistad.

Pero supón que sí que habías hablado sin tino y se te había escapado sin querer la confidencia que ella te había hecho. Ya te sientes peor que mal. Si pides disculpas y le aseguras a tu amiga que nunca más volverá a ocurrir algo así, ella tiene dos opciones: o bien continúa quejándose del daño que le hiciste hasta conseguir que no te soportes a ti misma o bien acepta tu disculpa cortésmente y conviene: «Comprendo que no era tu intención hacerme daño». Si se decanta por la primera opción, hará que te desagrades a ti misma y pronto empezarás a estar resentida con ella. El aborrecimiento de uno mismo casi siempre se traduce en el aborrecimiento del acusador.

Si la amiga te permite marcharte *gustándote a ti misma* y sintiendo que sigues siendo una persona decente y una buena amiga, ella también puede continuar gustándote a ti. Habrá podido expresar sus sentimientos, pero de un modo aún más enfático, porque ahora es importante para ti. Continuarás siendo su amiga y tendrás más cuidado con las confidencias que te haga en el futuro. Lo mismo es válido con tu hombre. Permítele que continúe gustándose a sí mismo cuando expreses lo que sientes.

La segunda regla —la de la *coherencia*— se deriva de la primera y es igual de importante. La gente siempre ajusta los datos a fin de que parezcan lógicos y coherentes con su forma de ser. Todos necesitamos sentir que hemos sido sensatos y razonables en el pasado. Ésta es la razón por la cual resulta muy equivocado acometer contra el carácter de alguien o hacer cualquier tipo de acusación generalizada cuando se discute. Cuando nos hieren, sentimos el impulso de decir: «Voy a hacerle ver a esta persona lo abominable que ha sido. Entonces se arrepentirá y me tratará mejor».

Sorprendentemente, y a causa de la regla de la coherencia, cuando se utiliza **la táctica de intentar que la otra persona se sienta culpable o se compadezca siempre acaba saliendo el tiro por la culata.** Intentar demostrarle a alguien que ha sido injusto es lo peor que se puede hacer en una discusión.

Cuando quieres un aumento, quizá sientas ganas de decirle a tu jefe que es un miserable, que siempre te ha pagado menos de lo que te correspondía y que ni siquiera ha reparado en todo el trabajo extra que has realizado este año. Te lo imaginas diciéndote: «Tienes razón. He sido desconsiderado. Ahora me doy cuenta de lo valioso que eres. ¿Cómo puedo compensarte?» Pero las cosas funcionan exactamente al revés. Cuando le dices a tu jefe que ha sido injusto contigo, no te verá como a una víctima de la que se ha abusado y a sí mismo como a un monstruo. No lo olvides, necesita gustarse a sí mismo. Lo que hará es intentar ajustar los datos a fin de aparecer como un buen hombre y una persona coherente.

En lugar de reajustar su pensamiento en conformidad a lo que tú dices, razonará algo parecido a esto: «Tiene toda la razón. Le he estado pagando menos a ella que a otra gente. Y ahora recuerdo por qué». Empezará a intentar demostrar su punto de vista para continuar sintiéndose coherente además de decente. «Le he estado pagando menos porque no tiene una licenciatura» o «porque se queja mucho» o «porque el año pasado cometió un grave error».

Antes de que acorralases a tu jefe en una esquina, quizá no hubiese considerado que estas cosas fuesen importantes, pero le has forzado a justificar por qué te ha tratado así. Lo has empujado a encontrar una razón y no se sentirá satisfecho hasta que encuentre una que le permita aparentar que es una persona decente. Naturalmente, preferirá gustarse a sí mismo que sentirse culpable cada vez que te vea.

Tienes que hacer que la gente se siga sintiendo a gusto consigo misma si quieres que vea las cosas desde tu punto de vista. De lo contrario, aun cuando consigas lo que quieres, debilitarás la relación. Indudablemente, no querrás que ocurra esto con la persona con la que esperas compartir el resto de tu vida.

Respetar sus necesidades mientras estáis en plena pelea

Respetar las cuatro necesidades básicas de tu hombre es tan importante durante una discusión como en cualquier otro momento. Quizás incluso más, pero durante una disputa resulta mucho más difícil hacerlo. Obviamente, es durante las discusiones cuando las pasiones están más encendidas, cuando la gente dice cosas susceptibles de provocar dificultades a largo plazo. Si te sientes herida, quizá quieras disparar con un cañón y hacer todo el daño que puedas —cualquier cosa a fin de demostrarle a ese tipo que no puede darte órdenes injustas—. La razón por la que te lanzas a la yugular es porque te sientes muy impotente. Todos sabemos que las discusiones entre amantes pueden ser incendiarias e intensificarse desmedidamente. Cuando esto ocurre, los problemas que surgen casi nunca están realmente relacionados con el desacuerdo original.

Probablemente has tenido al menos una discusión con un hombre que te dejó aturdida por su perversidad. Fue demasiado lejos y te reveló una visión de ti misma de la que nunca te recuperaste, al menos no hasta pasado mucho tiempo. Indudablemente, si tu hombre actúa así durante una discusión —si, por ejemplo, te compara desfavorablemente con otra mujer o ataca tu integridad básica— sería mejor que no hablases con él hasta que se calmase. Esto no significa que estés olvidándote de la cuestión, sólo que la retomarás más tarde.

Quizá también quieras hablar con él sobre el uso que hace de su capacidad destructiva, pero no cometas tú el mismo error de generalizar en exceso.

La clave para ser eficaz cuando discutas con tu hombre reside en lo siguiente: **sé pertinente y nunca dejes de sustentar cualquiera de sus cuatro necesidades básicas.** No sólo será más capaz de ver la luz si haces esto, sino que mejorarás la relación romántica demostrándole cuánto te importa él aun en los momentos en los que te sientes muy herida o estás muy enfadada.

Por supuesto, cuando estés furiosa con él, no serás claramente consciente de sus necesidades; eso sería pedirle demasiado a cualquier mortal, pero si sigues unas orientaciones determinadas, dirás las cosas apropiadas aun cuando estés en plena pelea.

Veamos cuáles son esas orientaciones para discutir con tu hombre. Si las sigues, presentarás tu punto de vista con firmeza y, tras la discusión, los dos bien podréis sentiros más próximos que distantes.

Haz que se sienta especial incluso durante una discusión

Sabes cuánto deseas sentirte especial para tu hombre. Podrías aceptar casi cualquier petición o queja siempre que continuase viéndote como a la única mujer de su vida, incomparable a las demás. En cambio, si durante una discusión te dijese que eres igual que todas las demás mujeres que ha conocido, te sentirías destrozada.

Tal como hemos visto, la necesidad de tu hombre de sentirse especial es todavía mayor que la tuya. Verá tu punto de vista con más facilidad si puede continuar sintiéndose especial para ti durante la discusión. Y acuérdate de la necesidad de tu hombre de gustarse a sí mismo y de sentir que es coherente.

Con frecuencia, es posible expresar de un modo efectivo tu idea ayudando a tu hombre a comprender que él es más importante que cualquier cosa de la que podáis estar discutiendo. Por ejemplo, si tu amante objeta de un modo irracional que salgas con tu antiguo novio Bob por su cumpleaños, intenta expresar tu opinión de un modo positivo. Recuérdale a tu hombre que, por lo general, no es una persona celosa o controladora y que esa es una de las razones por la que tanto lo amas. Asegúrale que es especial. Dile otra vez que no existe la más mínima razón para que se preocupe por ningún otro hombre.

Si necesitas continuar con la discusión, mantén a otras personas fuera de la misma. **Nunca compares desfavorablemente a tu hombre con otros hombres como estratagema para expresar lo que quieres decir.** Las comparaciones le arrebatan el sentimiento de ser especial. Tu intención puede ser la de avergonzarle mencionándole a otro hombre, pero cualquiera de estas menciones sitúa a ese hombre en el lugar del rival y disminuye el sentimiento de tu hombre de que lo consideras alguien especial que está por encima de las comparaciones.

Sabes lo mal que te sentirías si te comparase desfavorablemente con otra mujer. «¿Por qué no puedes tener la confianza en ti misma que tiene Sarah?» Tu hombre se sentirá al menos igual de mal que tú si le dices algo por el estilo. Aun cuando consigas que haga lo que tú quieras, tus comparaciones te costarán la intimidad y la confianza.

Imaginemos que quieres que cambie sus planes del sábado para que pueda ayudarte a hacer la compra. Algunos de sus amigos irán a casa más tarde y querrán tomar algún aperitivo. Tienes un buen argumento: has estado trabajando toda la semana, igual que él, y no tendrías que hacer la compra sola —en especial, porque se trata de *sus* amigos—. Te gustaría tener un poco de tiempo para ti misma y, si él te ayudase, haríais las cosas más rápidamente y ambos podríais ganar unas horas.

Expresa todo esto pero *evita las comparaciones*. Olvídate de comentarios del tipo: «Joe comparte todas las tareas con Ellen» o «Gary nunca es injusto con Diana». Refrena el impulso de utilizar a otros hombres como ejemplos. Tu hombre no está participando en una especie de carrera para ser más atento o mejor que cualquier otro. Por lo general, la razón por la que introduces a otra gente en la discusión es porque temes que el caso que expones sea débil o que tu hombre no esté siendo razonable. Estás utilizando un ejército porque sientes que tu argumento, que se basa en tu propia valía, no prevalecerá. Sin embargo, tienes que confiar de nuevo en tu propia justicia y confiar en que eres lo bastante importante para tu hombre para que sea justo contigo. Sabes que está justificado que te ayude a traer la comida para sus amigos. Háblale del modo en que lo harías con una de tus amigas. «Me alegrará ayudarte a prepararlo todo para tus invitados, pero tienes que ayudarme con la compra.» Probablemente tu hombre te acompañará. Si no lo hace, basa tu siguiente alegación en la premisa de que es una persona justa. «Siempre hemos contado el uno con el otro. Dividámonos el trabajo hoy igual que hemos hecho siempre.» Acompañarte ahora le permite sentir que es coherente con la persona justa que siempre ha sido. Puede gustarse a sí mismo y que le gustes tú.

No importa cuánto apoyes a tu hombre ya que, inevitablemente, llegará el momento en el que sentirás que está haciendo algo que resulta doloroso para ti o para sí mismo. Tendrás que aventurarte a expresar una crítica. La regla más importante en este caso es la de **hacer tu sugerencia lo más específicamente que puedas**.

De nuevo, no generalices. Si es una persona exageradamente desordenada y te pasas la mitad de tu tiempo recogiendo sus cosas, tienes derecho a pedirle que sea más ordenado. Intenta no extenderte por muy enfadada que estés. Evita frases como «eres desordenado en todos los aspectos de tu vida. No es de extrañar que tu jefe te esté gritando siempre» o «esto demuestra lo que realmente piensas de las mujeres. Nos ves a todas como a unas criadas».

Un paso aún peor que la generalización sería el de ahondar en los motivos de tu hombre y decirle por qué está actuando realmente tan mal. Hacer esto le despoja de todo el sentido que tiene de ser especial y lo hace aparecer como un libro abierto. «Tratas así a las mujeres porque tu madre te lo consintió todo. Ahora quieres convertirme en una madre que no tiene otra cosa que hacer que cuidar de ti.»

Las interpretaciones de este tipo pueden venirte a la mente en algunas ocasiones, pero, cuando esto suceda, consérvalas para ti. A ninguna persona le gusta sentir que puedes ver a través de ella. Tu hombre, a causa de su Apariencia Masculina, necesita sentir que tiene el control absoluto, no ser ordinario o transparente.

Sé especialmente cuidadosa cuando tu hombre acuda a ti para obtener consejo. Cuando le pides a alguien su opinión, no quieres oír una larga conferencia sobre cómo te equivocaste en tres terrenos diferentes o cómo te equivocas siempre. Tu hombre todavía teme más esto por su Apariencia Masculina. Su miedo a ser desenmascarado, a aparecer con una imagen menos que perfecta, es lo que puede haberle dificultado acudir a ti para recibir tu consejo en primer lugar. No utilices su vulnerabilidad como una oportunidad para sermonearle sobre lo que ha estado haciendo mal y de qué modo puede mejorar.

Si quieres continuar teniendo una influencia en la vida de tu hombre, atesora esos momentos en los que se siente lo bastante libre como para pedirte tu opinión. Utiliza estas oportunidades para hacer que se sienta más próximo a ti, para afirmarte como una amiga digna de su confianza.

Dan, un nuevo escritor para una revista importante, empezó una relación amorosa con Laura, que era unos pocos años mayor que él y que trabajaba de editora de una editorial. Dan, que a menudo sufría el frecuente bloqueo de los escritores, le enseñaba sus artículos a Laura y ella dedicó varios fines de semana a acabar fragmentos para Dan, y, en una ocasión, a salvar su trabajo. Pronto, Laura empezó a escoger temas para que Dan escribiese sobre ellos y a decirle cómo debería tratar a la gente en el trabajo. La relación había empezado a cambiar rápidamente. Dan dejó de mostrarse cariñoso con Laura y ella acudió a mi consulta para descubrir qué estaba yendo mal.

Laura me explicó que, en su opinión, Dan lo podría hacer mucho mejor en su trabajo si fuese más disciplinado y menos indulgente consigo mismo como escritor. Resultó que Laura ya le había expresado esto a Dan con bastante brusquedad. Dan se había apoyado en Laura en los momentos de incertidumbre y ella había aprovechado la oportunidad para hacerle una fiera crítica a todo su método como escritor.

En la terapia, Laura empezó a ver que Dan se estaba alejando emocionalmente de ella. Comprendió que ya no lo elogiaba, lo cual resultaba bastante triste porque, al principio, le había dicho a Dan lo que sinceramente sentía —que era un escritor maravilloso—. Cuando esto salió a la luz, al principio Laura intentó defenderse. «¿Qué bien voy a hacerle si sólo le sigo diciendo lo bueno que es? Me pidió mi opinión, de modo que debo dársela.» Esto era verdad desde el punto de vista de Laura pero, si las «críticas constructivas» nos desaniman, nos hacen más mal que bien.

A petición de Laura, Dan acudió para exponer su versión. Me dijo que estaba perdiendo todo su deseo sexual hacia Laura. No podía amar a una mujer que lo corregía tanto como su propia madre. Por supuesto, su reacción no era del todo justa, pues él dependía mucho de Laura. La pobre Laura estaba renunciando a sus fines de semana para hacer cualquier cosa que Dan le pidiera e, irónicamente, estaba contribuyendo al proceso de destruir el amor que él sentía por ella.

El único modo de salvar su relación era que Laura dejase de hacerle sugerencias y abandonase su programa de «mejorar a Dan». A cambio, Dan estuvo de acuerdo en intentar no utilizar a Laura como recurso. Indudablemente, de vez en cuando le pediría su opinión, pero se ceñiría a eso. Laura prometió contestar a sus preguntas específicamente y evitar las generalizaciones. Intentarían recuperar su relación como amantes y no relacionarse entre sí como la experta y el estudiante, pues era algo que los estaba destruyendo.

Tanto si estás argumentando algo que tú quieres hacer como si estás intentando ayudar a tu hombre a mejorar su vida, tendrás mucho más éxito si no pierdes de vista su necesidad de sentirse especial.

Discutir y la necesidad que tu hombre tiene de sentirse libre de cargas

Durante una discusión con un amante casi todos nosotros hemos pensado alguna vez lo siguiente: «La vida era más fácil cuando no tenía que preocuparme por todas estas cosas». Típicamente, son los hombres los que más piensan de este modo debido a la necesidad neurótica de sentirse totalmente libres de obligaciones que les causa su Apariencia Masculina.

La verdad es que *cualquier* relación tiene sus exigencias. Si se quiere vivir sin ningún tipo de responsabilidad, lo mejor sería vivir solo. Podrás comprarte el coche que quieras, tendrás el control absoluto sobre el mando a distancia de la televisión y nunca regresarás a casa demasiado tarde porque nadie te estará esperando. Al final, depende de cada individuo decidir si una relación merece las obligaciones que conlleva. Una vez que se empieza a formar parte de una pareja, ambos tendréis algunas restricciones; forma parte de la vida. Obviamente, harás cosas que le desagradarán y si no siempre puede sentirse tan libre de responsabilidades como cuando estaba solo, pues mala suerte. En ocasiones discutirás con él y en otras le pedirás que actúe de otro modo por tu bien —o por el suyo.

Si tiene una mínima capacidad de reflexión, tu hombre debería comprender que las discusiones forman parte de la intimidad. Sabrá que es mejor discutir con alguien a quien amas a las dos de la madrugada que estar solo. He visto a muchos hombres en mi consulta comprender esto mucho después de que sus matrimonios se rompiesen. También es preferible discutir a que la persona amada te tenga tanto miedo que sufra en silencio.

Es todavía mejor tener a una persona amada que te haga una serie de preguntas aburridas sobre cómo te ha ido el día que no tener a nadie a quien le importe.

Una tarde, tres amigos míos y yo volvíamos de las pistas de tenis. Uno de los hombres, que llevaba casado unos treinta años, habló brevemente con su mujer por el móvil. Parecían estar discutiendo ligeramente. Después, el hombre se volvió hacia nosotros y dijo meneando la cabeza: «"¿Qué he tomado para *comer*?" me ha preguntado. "Un bocadillo", le he dicho. "¿Qué *tipo* de bocadillo?" me ha preguntado. Las mujeres son increíbles».

Se produjo un breve silencio, tras el cual otro de los hombres observó: «Richard, ¿dónde estarías si nadie te preguntase lo que has tomado para comer?»

Me pareció que lo había expresado brillantemente.

No te preocupes por entrometerte de vez en cuando. Es mejor equivocarse por hacer demasiadas preguntas o por discutir que por callarse. Tu hombre puede tener algunos recelos sobre su necesidad de sentirse libre de responsabilidades cuando no estás completamente de acuerdo con él, pero las presiones y los desacuerdos ocasionales que acompañan al amor y al cariño son un pequeño precio que tiene que pagar por tener a alguien que se preocupa por él.

Aun así, si quieres que tu hombre esté de acuerdo con tu punto de vista, es importante dejarle claro que no le estás pidiendo que renuncie a su vida tal como la ha conocido hasta este momento. Serás más persuasiva si ve que, aunque tenga que hacer algunos ajustes, todavía puede sentirse libre de responsabilidades. La clave consiste en pedirle cambios concretos, y no un montón de una sola vez.

Nunca hagas más de una crítica a la vez. Tal vez quieras que tu hombre se vista de otra manera. Estás segura de que su presencia sería más adecuada dondequiera que fuese y, de este modo, tú te sentirías más orgullosa de él. Secretamente, te gustaría que vaciase todo su armario y saliese de compras contigo durante tres días seguidos, pero sólo se te permite hacer un comentario a la vez. Si tienes algún tipo de sugerencia sobre el tipo de zapatos que mejor le quedarían, hazla y déjalo ahí. Si quieres que deje de ponerse camisetas cuando tiene un encuentro con sus clientes durante el fin de semana, menciónalo con delicadeza y después no insistas.

Probablemente tu hombre tolerará un único comentario sobre esto o lo otro, pero un vasto programa de mejoramiento personal desatará sus peores miedos a ser confinado y creado de nuevo. Reprime cualquier impulso de presionarlo cada vez más. Si tu hombre está de acuerdo en comer más despacio, no des por sentado que puedes añadir otras sugerencias relacionadas con sus modales. Lo más probable es que haya llegado a su límite con la primera sugerencia. (Por cierto, esto no es sólo psicología masculina. Tú sientes lo mismo.)

Procura no transmitirle que él no tenía idea de lo que hacía antes de conocerte. Si quieres que tu hombre continúe acudiendo a ti cuando necesite ideas, tiene que sentir que no será juzgado por su pasado. Tu hombre quiere sentir que llegó a tu vida como un héroe y no que te necesita a ti o a cualquier otra mujer para que le enseñe a comportarse.

Las necesidades de lealtad durante una disputa

Incluso durante una discusión acalorada, la lealtad es esencial —y posible—. Expresa tus afirmaciones con firmeza si así lo deseas, pero sé justa. Nunca entres en el **territorio de la deslealtad.** De todas las maneras en las que te puedes hacer daño a ti misma durante una discusión, la peor (y a veces la más tentadora) es entrar en un terreno prohibido. Si lo haces, mucho después de que el problema haya sido olvidado, tu hombre recordará que lo traicionaste y no volverá a confiar en ti.

Tal como hemos visto, la forma más común de deslealtad durante una discusión es la de nombrar a otras personas para apoyar tus argumentos. Cuando haces esto, tu objetivo es el de evocar a un ejército que está de tu parte a fin de forzar a tu hombre a que *vea* que estaba equivocado.

Por ejemplo, pongamos que estás furiosa con él porque a menudo te pide que hagas cosas en el último minuto y él no cumple con sus propias obligaciones. Ayer te llamó a las cuatro en punto y te pidió que fueses a buscar a su madre al aeropuerto. Había planeado recogerla él pero te llamó al móvil y te dijo que le había surgido algo imprevisto y que no podía. Podrías haberte negado perfectamente o al menos protestar más tarde, pero no hiciste ninguna de las dos cosas. En lugar de ello, escoges quejarte en un momento en el que tengas testigos y puedas obtener apoyo.

Dos días más tarde, durante la cena, te vuelves hacia la mujer de su hermano y le preguntas: «¿A ti te llama tu marido en el último minuto y te pide que vayas a recoger a tu suegra al aeropuerto o soy yo la única que recibe este tipo de encargos?»

Quizá pienses que tus testigos son una ventaja para ti, que te ayudarán a convencer a tu hombre de que hizo algo inapropiado e injusto, pero que los testigos estén de acuerdo contigo o no resulta insignificante comparado con el hecho de que estás humillando a tu hombre. Tu deslealtad al expresar esto en público intensificará lo que sólo era una diferencia de opinión y lo convertirá en un sentimiento de desesperanza por su parte respecto a toda la relación. Desde tu punto de vista, sólo estabas solicitando ayuda para exponer tus argumentos pero, desde el suyo, has concedido más importancia a ganar una discusión exponiéndola que a sus sentimientos. Lo has avergonzado en público y has atacado su Apariencia Masculina.

Como ya he mencionado, citar a tus amigos mientras estás discutiendo con tu hombre es una mala idea. Percibirá esa conversación negativa sobre él como una traición tan grave como si lo hubieses atacado en público. De algún modo, es peor que discutir en público porque, al menos si él hubiese estado presente, podría haber explicado su versión de la historia. De este modo, no ha tenido la menor oportunidad de hablar en su propia defensa.

En algunas ocasiones necesitarás empezar una discusión *porque* eres leal a tu hombre. Nadie quiere casarse con la monitora del colegio, pero si ves que, a menos que tu hombre cambie de rumbo, topará con un gran problema, la lealtad te exigirá que le digas algo. Aun en el caso de que tu observación no sea bienvenida, le debes a tu hombre y a ti misma hablar cuando ves que está haciendo algo verdaderamente autodestructivo.

Muchos hombres que en un principio sintieron resentimiento hacia la mujer que amaban por haberles hecho una sugerencia bastante fuerte, la han apreciado mucho más adelante. La mujer que le dice a su hombre que tiene un problema con la bebida seguramente provocará un gran resentimiento al principio, pero más adelante, después de que el alcohólico incipiente haya renunciado al licor para siempre y vea cómo ha cambiado su vida, le estará profundamente agradecido por haberse preocupado por él y por haber tenido el valor de ayudarle a evitar que destrozase su vida.

Conoces cuál es la diferencia entre un comentario valiente que nace de la lealtad y una crítica mordaz que nace del enfado. Una cosa es que importunes a tu hombre para que abandone un hábito perjudicial para su salud, como fumar, y otra que lo vapulees por levantarse tarde los fines de semana.

En muchos casos, el problema es que el hombre carga con mucho equipaje emocional. Todos llevamos una cantidad determinada de equipaje adicional que nos abruma. En una relación, esta carga agobia al equipo, no sólo al individuo. En ocasiones, la lealtad consiste en ayudar a tu hombre a desprenderse de esta sobrecarga emocional a fin de que viaje mucho más ligero que nunca. Asegúrate de escoger los temas con cuidado, pero, si estás convencida de que tienes razón, le debes tu opinión aunque ello provoque una discusión. Puede merecer la pena para ambos.

Kelli, una paciente mía, veía de qué modo Gene, un viejo amigo de su novio, Mark, se aprovechaba constantemente de él. Amaba a Mark por su generosidad, pero estaba convencida de que no se trataba de un caso de mera generosidad por su parte. Tenía miedo a decir no.

Gene le pedía regularmente a Mark que le llevase a alguna parte, que le prestase cosas que después se olvidaba de devolver y acudía a su casa a cualquier hora para pedir consejos relativos a su trabajo. Siempre había mucho de lo que hablar, pues Gene perdía un empleo tras otro. Kelli estaba segura de que Mark percibía que estaba siendo tratado de un modo impropio pero no quería admitirlo ni tan siquiera ante sí mismo. Una vez en la que Mark le pidió un favor a Gene, éste se lo negó y Mark pareció quedarse abrumado, pero aquella noche, cuando Kelli expresó lo enfadada que estaba con Gene, Mark lo defendió instantáneamente. «Sólo está pasando por un mal momento. Eso es todo.»

Kelli vino a mi consulta con una lista escrita de los favores que Mark le había hecho a Gene. Incluía algunos en los que Mark la había persuadido para que se encargase ella y por los que nunca había recibido el agradecimiento de Gene. A esas alturas no soportaba a Gene y estaba enfadada con Mark, aunque también lo amaba mucho.

Le dije que tirase la lista. Las listas nunca ayudan en las discusiones. Lo único que se consigue con ellas es que la otra persona se decida a defender su conducta como medio para explicar la razón por la que ha sido tan coherente. Sospeché que eso es lo que haría Mark, tal vez citando la petición de Gene y posiblemente tildando a Kelli de hostil.

Pero ayudé a Kelli a exponer su caso. Decidimos que la próxima vez que Gene le pidiese algo a Mark, Kelli le diría que se negase a hacerlo basándose en que, si Gene fuese un verdadero amigo, lo comprendería.

Gene todavía le debía a Mark mil quinientos dólares, pero en un mes le había pedido prestados doscientos más. Al principio, Mark quería darle rápidamente el dinero. (Lo más típico era que se lo llevase él mismo para ahorrarle tiempo a Gene.)

Kelli estaba preparada: «Por favor, no lo hagas. ¿No te querrá igualmente si se lo niegas?», le preguntó Kelli. Cuando Mark le aseguró que, por supuesto, así sería, Kelli dijo: «De acuerdo, entonces demuéstralo».

Por muy duro que fuese para Mark, puso a Gene a prueba. Gene se puso furioso. Acusó a Mark de abandonarlo justo cuando más lo necesitaba.

Mark se quedó perplejo con la respuesta de Gene, y todavía más perplejo cuando, una semana después, Gene todavía no le devolvía las llamadas. «Yo creía que era una amistad verdadera», dijo Mark. «Supongo que sencillamente no quería ver que no lo era.»

Siendo específica y no haciendo una vasta generalización sobre Gene (o para el caso, sobre Mark), Kelli fue capaz de exponer sus argumentos de una manera eficaz. Ganó la disputa pero, a la vez, hizo que Mark se sintiese especial. Subrayó su lealtad hacia él demostrándole cuánto estaba de su lado.

La intervención de Kelli, que al principio molestó a Mark, en realidad lo capacitó para sentirse más libre de responsabilidades de lo que se había sentido antes de conocerla, liberándolo de esta persona que resultaba una carga en su vida. Las discusiones ideales entre amantes a menudo conducirán a este tipo de resultado positivo.

Preservar la intimidad durante la discusión

¿Puedes sentirte afectuosa durante una discusión acalorada? Probablemente no. Fingir que estás enamorada de un hombre mientras te está gritando sería un acto supremo de negación. Sin lugar a dudas no te sientes amada y te resulta difícil recordar por qué lo amaste alguna vez, pero sabes lo rápidamente que pueden cambiar los sentimientos. Es más que probable que volváis a emprender vuestra intimidad de nuevo, siempre que ambos podáis evitar deciros o haceros cosas que resulten seriamente destructivas.

Esto es así porque vuestra intimidad no es sólo un sentimiento momentáneo. Es una *relación* que los dos habéis construido juntos a lo largo de un tiempo —cuando los dos erais felices y compartisteis momentos de ternura, y sometidos a estrés, cuando ambos os unisteis para obtener un objetivo común—. La intimidad es una ciudad en la que moráis juntos, con edificios para el trabajo, para el sexo, para la recreación y para los planes futuros. Esta ciudad todavía está en pie, pese a las nubes que la oscurecen durante una discusión acalorada. Lo que resulta más importante es dejar intacta la ciudad a fin de que los dos podáis volver a ella.

Las diferentes sugerencias que ya he hecho en este capítulo te ayudarán a evitar daños a largo plazo a la intimidad que habéis creado, aun en los momentos en los que resulte difícil imaginar un futuro juntos. Recuerda lo que es una discusión y lo que no lo es. Estás intentando hacer hincapié en algo, no infligir un castigo.

La intimidad depende de la confianza. Tal como hemos visto, tu hombre sólo puede entregarte su confianza cuando está convencido de que seguirás siéndole leal y considerándole especial aun en los momentos difíciles. Si quieres que tu relación continúe en pie, intenta no decir cosas simplemente para conseguir la atención de tu hombre haciéndole daño. No importa lo enfadada o herida que te sientas; no pelees suciamente, porque eso sería como decirle exactamente lo que nunca deberías decirle: «Mi amor es condicional y, si haces que me enfade, todas las apuestas quedarán anuladas y más te valdría tener cuidado». Si esto es lo que le transmites, el daño a vuestra intimidad proseguirá mucho después de la discusión y este cimiento defectuoso de vuestra relación romántica será difícil de reparar.

Cuando se pelea sucio, los dos deslices más comunes que hacen mucho más daño de lo que pueda creer el agraviador son el *sarcasmo* y los *insultos sexuales*. Evita los dos.

El único propósito del sarcasmo es el de herir al hombre. Los comentarios sarcásticos se hacen siempre para ridiculizar a la otra persona y demostrarle que sus defectos son notorios y risibles. «Ya veo por qué te abandonó tu ex novia. Para alguien con un trabajo importante como el de ella, deberías parecerle realmente un tarado mental.» «Te pediría que me ayudases a poner la mesa, pero probablemente en tu casa no se hacía.»

Los comentarios sarcásticos pueden resultar divertidos a quien los hace, pero ¿merece la pena divertirte a riesgo de arruinar tu relación? Estos comentarios resuenan de un modo especial en la mente de la otra persona, lo quieras o no. Una vez que le hayas dicho a tu hombre que ves algo reprensible en él, ya no puedes retirarlo. Al día siguiente, será difícil convencerlo de que no piensas que es un incompetente o que sus familiares no son un atajo de paludos.

Los *insultos sexuales* todavía le afectarán más. Como ya hemos visto, ser un buen amante es una cuestión crítica para el sentido del yo de tu hombre. Los comentarios hechos en momentos de enfado sobre sus eyaculaciones precoces, sus dificultades para tener una erección o sus rarezas sexuales permanecerán en la atmósfera y la envenenarán mucho después de que haya acabado esta discusión.

Hace algunos años, una pareja se sentó en mi consulta, cada uno en un extremo del sofá, sin mirarse. La mujer habló primero y dijo que su relación sexual había sido maravillosa hasta que tuvieron una fuerte discusión hacía un mes. Después de aquello, el hombre se había distanciado de ella abruptamente. Continuaba siendo agradable con ella y la veía con la misma frecuencia, pero era evidente que su entusiasmo se había desvanecido.

Cuando ella le preguntó qué le pasaba, él no le respondió, pero estaba claro que algo rondaba por su mente, que ella le había hecho algún comentario que él no podía o no quería olvidar. Más tarde, después de haberle prácticamente suplicado que nos explicase qué era, lo hizo. Durante una discusión, ella comentó que sus anteriores novios habían sido altos y musculosos; él no era ninguna de las dos cosas. Había utilizado la desafortunada frase: «Realmente no eres mi tipo».

El intento de enmienda que hizo en mi consulta —«Pero yo te quiero, y nunca quise a ninguno de ellos»— cayó en saco roto. Todo hombre necesita verse a sí mismo exactamente como el amante con el que su mujer siempre ha querido estar. ¿Vanidoso? Por supuesto, pero es una parte integral de la Apariencia Masculina. Indudablemente, ella había hablado impulsada por un deseo momentáneo de hacerle daño, pero su comentario malicioso le golpeó de una manera más devastadora de lo que ella hubiera esperado. Rompieron poco después.

Tu hombre es especialmente vulnerable a los insultos sexuales porque su sexualidad forma parte de su mito personal, pero los ataques a *cualquier* parte del mito personal de tu hombre, le infligirán el mismo daño. Del mismo modo que construiste la intimidad respetando su mito personal, te arriesgas a destruirla criticándolo sin piedad. Irónicamente, es justo durante una discusión cuando quizá más desees utilizar tu inteligencia especial sobre tu hombre a fin de golpearle de pleno en su punto más vulnerable. Como sabes cuál es y cuán sensible es en relación al mismo, puede parecerte una diana fácil, pero no dispares a esa diana si quieres que la relación continúe una vez finalizada la discusión.

No importa lo mucho que te enfades, nunca arremetas contra el mito personal de tu hombre, la visión vital que tiene de sí mismo y de lo que podría ser. Con el tiempo, has llegado a saber lo que tu hombre más aprecia de sí mismo —por ejemplo, que aunque está divorciado, siempre ha sido afectuoso y protector con su hijo—. Es verdad que conseguirás su atención si le haces un comentario como éste: «Eres tan controlador conmigo como con tu hijo. Por eso siempre tiene que correr a su madre si quiere que le escuchen». Con algo así se acaba el espectáculo, pero mucho después de que la discusión haya finalizado, tu hombre lo recordará. ¿Es esto lo que realmente piensa? ¿Realmente quiere casarse con una mujer que siente que maltrata a su hijo y que la maltratará a ella de la misma manera? Ahora tiene una nueva y difícil cuestión que considerar. Habrías hecho mucho mejor dejando a su hijo fuera de la discusión.

Si tu hombre te ama y está considerando casarse contigo, necesita saber que piensas que es un padre afectuoso, una *persona* afectuosa, aunque se equivoque de vez en cuando. Mantén la lealtad al mito personal de tu hombre y tu discusión con él será algo puntual en lugar de un acontecimiento que envenene su mente *a posteriori*.

Recuerda la primera regla sobre las discusiones. Permite que tu hombre pueda continuar gustándose a sí mismo, aun cuando te estés enfrentando a él por alguna cuestión. Si él valora alguna cosa sobre sí mismo, ¿por qué iba a querer pasarse la vida con una mujer que pone en cuestión dicho valor?

El sexo tras una discusión

Todos sabemos lo gratificante que puede ser el sexo tras una feroz discusión con un amante. Cuanto más cerca hayáis estado de la ruptura, mejor será. Durante el enfrentamiento, imaginaste que lo perdías, que te quedabas sola de nuevo y ya te veías hablándoles a tus amigas de tu fracasada relación amorosa. Estabas desolada. Ahora está aquí de nuevo, amándote. El sexo tiende un puente sobre el gran abismo que existía entre vosotros y le aporta a la relación amorosa un sentimiento totalmente nuevo. Resulta excitante y la pasión apunta a que todo vuelve a estar bien. El sexo antes era bueno, pero esta experiencia es especial.

No obstante, asegúrate de que no estás utilizando el sexo como forma de persuasión a fin de conseguir que haga algo por ti o que vea las cosas a tu manera. Por ejemplo, tal vez hayáis discutido por lo que tú considerabas un flirteo con otra mujer, el cual continúa manteniendo. Tu hombre te llamó paranoica y se preguntó si le quedaría algo de libertad si se casaba contigo. Este intercambio acalorado resultó muy doloroso para ambos y os apartó significativamente en pocos minutos. Está enfadado, de modo que tú das pie a la reconciliación por la vía sexual; no obstante, aunque el sexo haya puesto fin a la discusión, no ha resuelto nada. Todavía te sientes amenazada por sus flirteos y él se preocupa por no poder sentirse libre de cargas contigo si firma.

Todo el propósito de la discusión era el de airear vuestras diferencias, pero utilizaste el sexo para suprimirlas. Como la discusión ha sido truncada, ambos os habéis quedado sintiendo una desesperanza general respecto a la relación amorosa. Si bien el sexo fue una maravilla, cortó la comunicación y ambos sentís que habéis pospuesto hacer frente al problema.

A menudo, las pacientes femeninas me explican que el mejor sexo que han practicado jamás tuvo lugar durante una relación tormentosa que no podía durar. Durante un tiempo, siguieron la misma pauta. Se peleaban con el hombre, tenían un encuentro sexual maravilloso, seguían tranquilamente durante un tiempo y entonces todo volvía a empezar. Otra vez, discutían hasta casi alcanzar el punto de la ruptura, utilizaban el sexo para borrar la cuestión y nada mejoraba realmente. Sus discusiones eran un afrodisíaco, pero los problemas de raíz nunca se resolvían hasta que, finalmente, llegaba la ruptura.

Lo más fundamental es esto: acaba primero tu discusión. Resuelve las diferencias, si es posible, *antes* de hacer el amor. Si entierras el tema, volverá a aparecer con el tiempo.

Sellar la discusión

Una clave para discutir es saber cuándo la discusión se ha acabado. Cuando esté acabada, olvídate de ella. Ya has hecho hincapié en lo que querías aclarar una o dos veces, si no más. Él ha contestado y lo habéis discutido unas cuantas veces. Por lo general, parecerá que uno de los dos ha ganado. O bien él ha acabado por darte la razón o bien no puedes conseguir que te entienda. Nada de esto ha sido muy ordenado, está claro. Probablemente, los dos habéis afirmado con demasiada insistencia vuestro punto de vista y, sin lugar a dudas, os habéis interrumpido muchas veces, pero habéis conseguido lo máximo que podéis por el momento.

Si eres tú la que está ganando, no continúes golpeándolo hasta que te entregue una confesión firmada. No la conseguirás y ése no debería ser tu objetivo. A la mayoría de los hombres, debido a su Apariencia Masculina, les resulta difícil disculparse abiertamente, pero eso no significa que tu hombre sea incapaz de ver la luz.

Si no sientes que estás ganando, entonces no hay razón para seguir presionando hasta que uno de los dos diga algo que resulte imperdonable. Olvídate de la cuestión por el momento. Si eres importante para tu hombre, lo pensará y, cuando no se sienta retado, cederá.

Muchas discusiones han sido ganadas —la otra persona reconoce a regañadientes la certeza de un argumento— sólo para perderse de nuevo por la repetición. El exceso ha arruinado tantas relaciones como lo ha hecho la falta total de discusión. Dejar una discusión prueba que tu objetivo era hacer hincapié en algo y no machacar a tu hombre hasta que se someta o hasta que consigas que se sienta culpable. Finalizar una discusión sin volver a referirse a ella o sin cavilar después sobre lo que se ha dicho es una verdadera demostración de intimidad.

Discutir puede resultar desagradable, pero es una expresión de la esperanza de que los dos juntos podéis solucionar los problemas en vuestra relación amorosa. Si una amiga te dice: «Mi hombre y yo no discutimos nunca», probablemente te está mintiendo y eso en el mejor de los casos. Si te está diciendo la verdad, al menos uno de los dos debe de sentirse totalmente desesperanzado y se ha conformado con hacer exactamente lo que la otra persona quiere. Shakespeare escribió que «la trayectoria del verdadero amor nunca transcurrió suavemente». De hecho, el arte de discutir es el de pedir lo que quieres y quejarte si debes hacerlo, pero sin ir más allá de ese asunto en particular, a fin de que, después, la relación pueda continuar en pie y sea más fuerte que nunca.

9

Cuando existe un grave problema

¿Estás dando demasiado?

Aunque este libro haya enfatizado principalmente las necesidades de tu hombre, mi intención no ha sido la de que te sacrifiques a ti misma indebidamente. De hecho, aprender sobre las necesidades de tu hombre es un modo de conseguir que él satisfaga las tuyas. La palabra clave es *equilibrio*. Los hombres se sienten rápidamente desatendidos y, debido a su Apariencia Masculina, puede resultar difícil darse cuenta; hemos estado estudiando las necesidades de tu hombre a fin de que comprendas lo que probablemente él no sea capaz de expresar con palabras.

Pero, en ocasiones, descubrirás que has estado inclinando la balanza demasiado a favor de tu hombre y desatendiéndote a ti misma. Ahora eres tú la que se siente infeliz e insatisfecha. Ha llegado el momento de reconocerlo y de equilibrar la balanza.

Imaginemos que has discutido con él y que, en realidad, has ganado en bastantes puntos, pero sigues sintiéndote fatal. Te molesta el hecho de que todo tenga que convertirse en una discusión y a menudo tienes ganas de discutir con él aunque no haya razón para hacerlo. O quizá sea aún peor: estás harta de discutir. Has perdido tu impulso de intentar comunicarte con él; parece que no tiene sentido. Además, de todo lo que hace ya no puedes identificar algo que pudiese cambiar las cosas. Realmente, te gustaría que lo cambiase todo.

Cuando empiezas a sentirte así, obviamente existe un grave problema en la relación. Cualquiera que sea la razón que te está preocupando, va más allá de lo que una única discusión podría tratar o resolver. Existe un desequilibrio que te está causando mucho dolor. Quizás este desequilibrio represente una tendencia determinada que sientes que os está dominando y no lo soportas. Tú te ocupas de todas las tareas desagradables. Tú eres la que siempre cede cuando se produce una discusión. Sus sueños siempre son más importantes que los tuyos. O quizás alguna característica suya que creías que se iría suavizando, sólo ha hecho que empeorar. Nunca admite que se ha equivocado ni con las cosas más nimias. O siempre eres tú quien tiene que pedir disculpas.

Tal vez haya empezado a actuar como si todo lo que a ti te importa fuese trivial. No atiende a tus preocupaciones de la misma manera que tú atiendes a las suyas. Si se le preguntase, quizá ni siquiera sabría decir qué es lo que más quieres en la vida, lo que te da más miedo o por qué te gusta la gente que te gusta. Como resultado, estás perdiendo de vista tus propios sueños, tus propias ambiciones, las cosas que siempre han sido muy importantes para ti.

Es como si hubieses cambiado el gran foco proyector de luz de tu inconsciente, que siempre te había guiado, para iluminarlo a él. Ahora te sientes algo confundida y perdida. Todo esto equivale a un gran problema.

En los momentos de lucidez, tal vez tras tomar unas copas con tus amigas o justo antes de irte a dormir por la noche, o en esos momentos matutinos en los que estás sola sorbiendo una taza de café, vislumbras claramente en qué consiste el problema. En esos instantes podrías definirlo con precisión a cualquier persona que se interesase en preguntártelo pero, por lo general, apartas el problema y niegas su magnitud.

La mayor parte del tiempo sientes que es imposible resolver este problema informe sin acabar con la relación. Con un sentido de futilidad, te dices: «Si sus sueños son más importantes que los míos, tal vez es que es así como debe ser».

Obviamente, todas las relaciones son diferentes, pero los grandes problemas en una relación romántica siempre se manifestarán cuando experimentes alguno de los tres —o los tres— síntomas siguientes:

1. **Sientes un enfado crónico.** Estás continuamente enfadada con él. Cuando él hace alguna referencia a algo relacionado con cualquiera de los temas en los que estáis en desacuerdo, eres como una víctima que sufre graves quemaduras. Cuando tenéis una discusión, no quieres restringirla verdaderamente a una única cuestión en particular. Te gustaría entrar en toda su historia, lanzarte a su yugular y desgarrar a este hombre en jirones.

2. **Te autocriticas.** Cualquier cosa que te angustió en el pasado sobre ti misma parece peor ahora. Te sientes demasiado vieja, demasiado gorda, no lo bastante culta, no eres el número uno en tu campo, necesitas un estiramiento facial. Corriges tus propios defectos; todos parecen saltar a la vista.

3. **Muestras una falta de interés general.** No te apetece ver a tus amistades íntimas. Las aficiones que eran importantes para ti han dejado de serlo. Has perdido de vista tus objetivos. Vas cojeando, haciendo lo que tu hombre quiere, pero con apatía. Esto es una forma de depresión.

Cuando te encuentras en este lodazal, estás viviendo una profecía que se realiza por sí misma. Te sientes demasiado rota como para hacer algo. A medida que las cosas van poniéndose peor y peor, te sientes aún más impotente. Pese a que esta triste relación ya no se parece a la que una vez quisiste, ahora puedes tener la impresión de que es lo mejor que puedes hacer. Parece que es lo que te mereces. El peligro reside en que, cuando llegas a sentirte incapaz, empiezas a convencerte a ti misma de que las cosas *tienen* que ser así. «De acuerdo, le prestaré toda la atención. Probablemente tiene razón cuando me critica. *Debería* ir más al gimnasio. *Estoy* haciéndome vieja.»

Pero debilitarte es lo peor que puedes hacer. Necesitas recobrar las fuerzas lo bastante como para comprender que has llegado a un punto crítico en la relación. Has seguido todas las reglas y has intentado satisfacer sus necesidades, pero las has seguido demasiado bien y las has llevado demasiado lejos.

Casi todos los problemas graves en las relaciones amorosas aparecen cuando uno de los miembros de la pareja se entrega demasiado. La relación ha tomado un rumbo equivocado porque te estás doblegando. Ésta es la razón por la que estás teniendo estos síntomas.

¿Todavía queda alguna esperanza para la relación romántica? ¿Es por él o es por ti? ¿Se trata de un tipo que necesita tener el control en sus manos y que no permite un equilibrio justo en la relación? ¿O es que tú eres innecesariamente condescendiente? ¿Acaso satisfacer sus necesidades te ha llevado a ponerlas por encima de las tuyas?

Si él es el problema lo descubrirás mediante una sencilla prueba de la que pronto hablaremos. Existen algunos hombres que están tan limitados por su Apariencia Masculina que no permiten que la mujer tenga un espacio para respirar. Insisten en que las cosas se hagan *a su manera* —su Apariencia Masculina les hace ser injustos e inflexibles—. Si tu hombre es así, entonces, consciente o inconscientemente, ya te habrás dado cuenta. Has desarrollado tu estilo de sumisión a fin de salir adelante con él y ahora tu autoestima está empezando a venirse abajo haciendo que cada vez te resulte más y más difícil seguir adelante.

Pero, en la mayoría de los casos, las mujeres que dan demasiado sólo se están imaginando que su hombre es más duro de lo que es. Tu hombre ha braveado, se ha mostrado irritable y ha hecho chispear su Apariencia Masculina. Tú te has creído esta actuación sin reservas. Contrariamente a esas mujeres que hicieron frente a sus hombres desde el principio, cuando se trataba de una cuestión de su dignidad, tú cediste en todo y ahora estás sufriendo.

Tienes tus propias razones para no haber expresado lo que sentías. Tal vez por el último hombre con el que estuviste o porque, desde niña, aprendiste a contar con los hombres y ahora los complaces como si se tratase de una cuestión de rutina. O te has convencido a ti misma de que quieres una relación tan desesperadamente que no importa cómo te trate este hombre. Cualquiera que sea la razón, si dar demasiado ha sido *tu elección*, entonces hay esperanza. Puedes salvar esta relación amorosa, pero, a fin de conseguirlo, tendrás que diagnosticarte a ti misma y a la relación. Para salvar esta relación, si todavía puedes hacerlo, tienes que comprender exactamente qué significa dar demasiado.

¿Cuándo estás dando demasiado?

Dar demasiado no es una cuestión de cantidad. Uno de los dos puede contribuir con mucho más dinero, trabajar más horas, llevar la iniciativa sexual, encargarse de planificar la vida social de la pareja, pero nada de esto implica, automáticamente, que la persona que brinda todas estas cosas está dando demasiado.

La única indicación real de si estás dando demasiado es tu motivación. *¿Por qué* lo estás haciendo? ¿Lo haces voluntariamente? ¿Puedes *no* hacerlo y sentirte igual de segura en la relación? Cuando se da de una manera sana lo que se siente es «No estoy *obligada* a hacer esto, pero *quiero* hacerlo». La señal de que estás dando demasiado es tener la sensación siguiente: «Esto es lo que se espera de mí. Si *no* lo hago tendré un problema serio».

Nada de lo que hagas por tu hombre, si tu motivo es la gentileza o el deseo genuino, será nunca demasiado. Y *cualquier* cosa que hagas por él, si tu motivo es el *miedo* de «mejor hacerlo porque si no...», es demasiado.

Quizá dediques tres días a preparar una fiesta, con cena incluida, para el amigo recién casado de tu marido y su mujer, o una tarde para ir a buscar a los padres de tu marido al aeropuerto; no será demasiado si eso es lo que realmente quieres hacer, si sientes que no estás «obligada». Cuentas con el lujo de saber que, si la próxima vez estás ocupada, no tendrás que preparar la cena o ir al aeropuerto y nadie pensará mal de ti ni estará resentido contigo.

Siempre que no te sientas intimidada, hacerlo no te molestará, aunque no estés al cien por cien de humor para ello.

Tu hombre quiere hacer el amor esta noche. A ti, realmente, no te apetece. Estás agotada o sencillamente no tienes ganas de sexo. De todos modos, amas al hombre y, aunque es fácil optar por la opción de decirle que no, disfrutas de la intimidad y decides hacerlo. Ya sea porque la experiencia te arrastre o no, has tomado la decisión de un modo puramente voluntario.

Compara esto con la escena en la que estás lejos de tener ganas pero sabes por experiencias pasadas que si dices no tu hombre se sentirá herido, se pondrá furioso y las cosas no serán iguales. Mantienes sexo con él a fin de evitar el castigo. Esta vez, dado que el motivo es realmente el *miedo a no complacer a tu hombre*, estás dando demasiado.

Por supuesto, en algunas ocasiones todos damos demasiado, incluso a aquellas personas a las que amamos. Ningún acto en el que demos demasiado resultará decisivo o te perjudicará seriamente a ti o a la relación. Es la *pauta* de dar demasiado, la silenciosa aceptación de darle demasiado a tu hombre a fin de conservarle, lo que produce los síntomas: tu enfado crónico, tus autocríticas o tu pérdida de interés en las actividades y en la vida misma.

Una vez que caes en esta pauta, resulta muy difícil ver que la causa de todo esto es la relación con este individuo en particular. La transición de sentirte orgullosa de ti misma, atractiva y joven, a sentirte vieja y desesperanzada puede producirse en tan sólo unos meses. Si lo pensases racionalmente, verías que empezaste a deprimirte cuando la relación con este hombre se volvió más seria. Pero en estos momentos no estás siendo racional y te sientes como si, de repente, hubieses atravesado el umbral de la edad o como si, por fin, te estuvieses viendo a ti misma de un modo realista y lo que vieses no fuera bueno.

Katie era una enfermera de treinta y dos años que ya se consideraba vieja. Se quedó sorprendida y complacida cuando el psiquiatra, que era el jefe de la planta en la que ella trabajaba, le pidió una cita. Rápidamente iniciaron una relación. Más adelante, ella me diría: «No es como mis novios anteriores. Es increíblemente sensato y ayuda a la gente cada día».

A Katie no le pareció un sacrificio dejarse crecer el pelo porque Rob insistió en que lo hiciese, pese a que le daba mucho trabajo y a ella le parecía que no le quedaba tan bien como el cabello corto. Intentó leer una literatura más seria porque Rob se burlaba de las «noveluchas» que ella disfrutaba leyendo. Vio menos a sus amigos, a quienes él consideraba superficiales y, cuando Rob hablaba, ella consideraba prácticamente todo lo que decía como algo nuevo y maravilloso.

Katie sabía que muchas otras mujeres del hospital la envidiaban por estar saliendo con el «doctor Rob». Cuando le dio el anillo de prometida, lo enseñó por todas partes. Era un trofeo que había conseguido con grandes sacrificios. El intento de complacer a Rob y hacer cualquier cosa que él dijese parecía una continuación natural del papel que Katie desempeñaba en «su» planta del hospital, así como de su niñez, en la que había sido una hija obediente.

La primera dificultad seria se manifestó cuando Katie tuvo problemas sexuales. Dejó de tener orgasmos durante el coito y, después, dejó de sentir nada en absoluto. Esto parecía inexplicable porque, según Katie, el «doctor Rob» era un buen amante que podía «aguantar mucho tiempo». Sin embargo, él no creía en otra consumación sexual que la que se produce durante el coito; estaba en contra de sus principios psicoanalíticos.

El doctor Rob estaba muy disgustado por la falta de respuesta de Katie hacia él y le dijo que tenía un trastorno grave. Atribuyó lo que el denominó su «frigidez» a problemas de la infancia y le recomendó que fuese a ver a un psicoanalista que era colega suyo, pero Katie le dio largas y, cuando una amiga suya me recomendó a mí, acudió a mi consulta sin comunicárselo.

A medida que íbamos hablando pude ver que Katie había intentado dárselo todo a Rob y, en ese proceso, le había dado, con mucho, demasiado. A esas alturas, habían dejado de hablar sobre la fecha de la boda. Pude ver que lo que parecía una anestesia en Katie era, en realidad, una rebelión que estaba expresando sexualmente. La falta de respuesta completa de Katie era su manera de decirle lo que no tenía valor para decirle con palabras: que se sentía abandonada, que no se sentía amada y que se retiraba del juego. Su subconsciente le había dicho que no le entregase al doctor Rob lo que él más anhelaba: sentirse orgulloso de sí mismo como amante. Ésta era la naturaleza de su represalia contra él. Que Katie viniese a verme a espaldas del doctor Rob era una forma todavía más obvia de rebelión. Como Katie me dijo que había tenido unas relaciones sexuales fantásticas con distintos amantes anteriormente, sin que ninguna de las dos partes experimentase problema alguno, estuve aún más seguro de mi diagnóstico.

Antes de que pasase mucho tiempo, Katie empezó a sacar a la superficie sus sentimientos negativos hacia Rob. No había dudas de que era demasiado exigente. No obstante, había tenido opciones en el camino. Podía haber rechazado peticiones suyas que a ella le habían parecido poco razonables e injustas. Al fin y al cabo, no eran exigencias soberanas.

Le pregunté a Katie si pensaba que Rob la habría dejado si se hubiese negado a dejarse crecer el pelo. «No, claro que no», dijo. «Era sólo que no dejaba de hablarme de lo bien que me quedaría.» Katie había querido resistirse a Rob en una docena de frentes, pero había escogido no hacerlo. No se había permitido determinar con precisión sus opciones reales, y, por esa razón, había hecho una cantidad de sacrificios excesiva aduciendo que cada uno de ellos era pequeño.

Poco después de haber empezado a trabajar juntos, Katie me informó de que había tenido una violenta discusión con Rob en la que se habían roto todas las reglas. Rob la acusó de ser «asexual»; ella le dijo lo satisfactorio que había sido el sexo con otros hombres y siguió atacándole con numerosas observaciones hostiles que acumulaba sobre él y que había reprimido hasta entonces. La fluidez con la que afloraron sorprendió incluso a Katie. Después de aquello, parecía que no había vuelta atrás para ninguno de los dos, la ciudadela había sido destruida y rompieron poco después.

En cierto sentido, todo lo que Katie había dicho era preciso, pero como todas las mujeres que dan demasiado incondicionalmente, lo único que Katie no le dio a su hombre fue la oportunidad de reconsiderar sus necesidades. Quizá Rob hubiese sido mucho más flexible si Katie no hubiese tenido pelos en la lengua a lo largo de la relación. Nunca lo sabremos. Dando por sentado que Rob no habría cedido ni un ápice porque era un tirano de nacimiento, ella había suprimido sus deseos y permitido que, con el tiempo, su rabia creciese hasta alcanzar dimensiones desproporcionadas.

Con mi amigo me enfadé:
de mi ira le hablé, con mi ira acabé.
Con mi adversario me enfadé:
no se lo conté, mi ira aumenté.

Esta fórmula que nos brindó hace dos siglos William Blake, todavía es válida. La mujer que da demasiado da por sentado que el hombre al que ama es un enemigo, y el crecimiento de su propia ira, que acaba por fracturar la relación, es uno de los malos finales a los que a menudo se llega cuando se da de un modo excesivo.

En su siguiente relación, Katie procuró identificar sus propias necesidades, no permitir que se pudrieran y no dar demasiado. Al año siguiente, conectó con un hombre maravilloso y, como se ocupó de las dificultades en el momento en que éstas surgieron, nunca llegó a considerarlo exageradamente exigente.

Efectos secundarios indicativos de estar dando demasiado

Naturalmente, no puedes determinar con precisión tus motivos cada vez que haces algo por alguien. No puedes preguntarte siempre: «¿Realmente quiero hacer esto o tengo miedo de no hacerlo?» La cosa se complica porque, muchas veces, hay una serie de motivos que se mezclan. Aunque quieras hacer algo, también sientes que deberías hacerlo.

Afortunadamente, tienes a tu disposición un test sobre la cuestión de «dar» que te ayudará a dilucidar tus motivos la mayor parte de las veces. El test consiste en ver cómo te sientes tras haber hecho lo que se te haya pedido. Si realmente querías hacer el favor, después te sentirás más contenta, más cerca de tu hombre, complacida contigo misma y satisfecha por haberlo hecho. El hecho de dar es una fuente de placer para el que da y acerca a quien lo hace a la persona receptora.

Sin embargo, si lo hiciste porque sentiste que *tenías* que hacerlo, no te sentirás mejor después. Te sentirás peor. No te sentirás más cerca de tu hombre o mejor contigo misma. Te sentirás más débil, más resignada a tener una vida peor y estarás resentida. Sentirás que tu hombre te *obligó* a hacerlo, aunque no lo supiese.

Volvamos al ejemplo de ir a buscar a los padres de tu hombre al aeropuerto. Si te gustan y realmente quieres darles la bienvenida, te sentirás contenta después de haber cumplido con la tarea. Aunque se tratase de un viaje difícil y te ocupase una buena parte del día, resplandecerás de un modo que significará que mereció la pena. En cambio, si sientes que tu hombre te exigió que sacrificases tu tarde sin importarle qué otras cosas tuvieses que hacer, probablemente te sentirás miserable después. Estarás enfadada con sus padres, te deprimirás o experimentarás un enfado hacia tu hombre que se irá cociendo a fuego lento.

Examina un acto y su efecto secundario y obtendrás una buena indicación de la razón por la que actuaste y si hiciste demasiado o no. Los efectos secundarios nunca mienten.

El problema reside en que una vez que un hábito se hace crónico —después de haberle estado dando demasiado a tu hombre durante un tiempo— resulta más difícil darte cuenta de que tu estado emocional es un efecto secundario, pero la depresión asociada a una relación amorosa casi siempre significa que has hecho demasiadas concesiones. Lo mismo ocurre con el enfado crónico. No estarías tan deprimida o enfadada si no estuvieses haciendo sacrificios dolorosos y te centraras más en lo que *tú* quieres.

Las mujeres que me dicen que la vida se ha vuelto insípida y que su relación amorosa es decepcionante difícilmente son capaces de ver la verdadera causa. Como Katie, lentamente desarrollaron un *hábito de sumisión* (ya fuese porque se lo exigió su hombre o porque ellas *pensaron* que así era). Querían asegurarse de que no iban a perder al hombre pero, en lugar de ello, perdieron su gusto por la vida y su autoestima. Cuando acudían a mí, ya ni siquiera podían imaginar una relación amorosa y fácil. Indudablemente no veían que *ellas* estaban haciendo algo que hacía que su vida fuese más difícil.

La cura requiere que determines las maneras en las que estás dando demasiado. ¿Dónde estás excediéndote para lograr que tu hombre sea feliz? Si tu relación se tambalea, existe una manera sencilla para determinar de quién es la culpa. Encontrarás la respuesta cuando gradualmente dejes de complacer a tu hombre, primero con cosas pequeñas y después con otras más grandes.

Estudiemos de qué modo tu disposición a arriesgarte a decepcionar a tu hombre en algún sentido puede enderezar la relación entera. Si se trata de un hombre decente, estará contento de que recuperes tu autoestima y de que vuelvas a equilibrar la relación. Preferirá que seas su igual. Serás una mejor compañía si estás alegre y eres positiva sin tener que brindar servicios adicionales que si estás deprimida por tener que hacerlo. Si resulta que él te quiere sólo como a una sirvienta o que disfruta tratándote como si fueses una niña, tendrás que seguir tu propio camino. Quizá lamentes su pérdida durante semanas o meses. Y si decides que no es el hombre que pensabas que era, tal vez atravieses un período en el que dudes de tu propia capacidad de juicio. Tal vez te preguntes cómo has podido llegar tan lejos con el hombre equivocado, pero el precio a pagar en comparación a tener que vivir el resto de tu vida con abnegación y siendo infeliz no es muy alto.

Recuperar tu relación amorosa

Tu objetivo es el de llegar a la raíz del problema y recuperar esta relación si es que merece la pena y es posible. No pierdas tiempo especulando sobre qué siente realmente tu hombre por ti y sobre si queda alguna esperanza. Probablemente es algo que ya hayas hecho demasiado. Si las cosas han ido mal durante un tiempo, de todos modos no será posible especular. Tal vez dudes demasiado de ti misma y tu autoestima esté demasiado baja como para hacer una buena evaluación, y ésa es probablemente la razón por la cual cada día avanzas en círculos cuando piensas en la relación.

En lugar de especular, sigue los pasos que voy a darte ahora. Si lo haces, es probable que recobres tu relación amorosa y, sin lugar a dudas, tu autoestima. Si se trata del hombre equivocado, también lo descubrirás. Estos pasos no sólo te indicarán de forma notable *dónde* estás dando en exceso sino también *por qué*. A medida que los vayas siguiendo, descubrirás la verdad sobre este hombre y también muchas cosas sobre ti misma.

Haz una lista de los sacrificios autodestructivos

Tu primera tarea consiste sencillamente en *identificar* las cosas que haces por tu hombre que te causan infelicidad o que te agravian silenciosamente. Toma una libreta o abre un nuevo archivo en tu ordenador y escribe todos los actos que has hecho para complacerle que te sea posible. Vas a pasarte *dos semanas* haciendo la lista de estos actos sospechosos y esto te hará sentir como si estuvieses constantemente achicando el agua de un barco que quizá se esté hundiendo. No recordarás todos los detalles e irás añadiendo cosas a medida que prosigas, pero el valor de dos semanas será un buen punto de partida.

Pensar en términos de determinadas categorías te ayudará a encontrar aquellos aspectos en los que estás dando demasiado. Una de estas categorías podría ser la de las tareas domésticas que haces sola. De alguna manera, acabas haciendo todo el trabajo sucio. Él nunca se ofrece voluntario para hacer nada en la casa y estás empezando a sentirte degradada, como si él fuera el príncipe y tú la sirvienta fregona. O tal vez tú te ocupes de hacer todos los planes sociales y estás empezando a odiarte a ti misma porque él no te lo agradece y nunca se le ocurre ninguna idea. Sin ti, el día de Acción de Gracias sería un jueves como cualquier otro y los fines de semana serían un tiempo para dormir. Todavía es peor si, cuando sugieres que colabore, él te dice que lo que quieres fue idea tuya, no suya. «Si estuviera solo yo no haría todas estas cosas porque sea el día de Acción de Gracias. No me interesa la cocina. Tú eres la que lo quiere.» O: «Yo no me obsesiono por tener un apartamento inmaculado. Tú eres la quisquillosa, de modo que no me metas en eso».

Probablemente resulta más fácil de lo que pensaste hacer una lista de las cosas que haces sola y consideras injusto que él no colabore. Escríbelas todas, una cosa en cada línea.

También incluye en tu lista (de conductas que vas a cambiar) el hecho de que no estás hablando de cosas que son importantes para ti, temas de los que tú *quieres* hablar, pero que él no quiere. Él habla sin parar de *sus* temas: su trabajo, su equipo favorito de béisbol, su madre, sus amigos; pero cuando tú intentas hablar de tus intereses, él te presta poca atención. Sugiere que tus temas son triviales y tú cedes. Abandonas el tema o no lo sacas en absoluto a fin de no ofenderlo. Añade a tu lista estas decisiones de permanecer callada. Equivalen a la elección de subordinarte a él.

Todavía existe otra categoría en la que das de un modo exagerado y que consiste en no hacer nada ante algún tipo de maltrato. Ya sea cuando estáis solos o en presencia de amigos, tu hombre te critica de forma regular o es sarcástico o cínico. Tú has *escogido* ser permisiva con este hecho, has escogido no hablar en tu favor o al menos no de forma muy firme. Has tenido miedo de que tu hombre se enfadase o se disgustase contigo.

Tal vez, cuando mencionó delante de unos amigos que no eras juiciosa con el dinero, lo dejaste correr. O mantuviste la respiración en silencio cuando dio a entender que tenías un exceso de peso. Sabes que sus dos últimas novias eran anoréxicas pero, de todos modos, te lo tomaste mal. Te has estado culpando a ti misma en lugar de cuestionar su estándar de la apariencia que debería tener una mujer. Cualquiera que fuese el tipo de agravio, has intentado decirte a ti misma que está pasando por un mal momento en el trabajo o que en realidad no quiere decir lo que dice. Pero te sentiste herida cada vez y ahora ves que has realizado una serie de elecciones para *no* decir nada, aun cuando te has sentido herida. Escribe también estas elecciones.

Añade a tu lista cosas que has dejado de hacer porque tu hombre no quiere que las hagas pero que, en realidad, son bastante razonables o importantes para ti. Tu hombre está celoso cuando por la noche te pasas un rato hablando por teléfono con tus amistades, de modo que ahora te deshaces de la gente a fin de no enfadarle. Cuando haces una llamada de quince minutos lo haces a escondidas. También has estado tomando otras decisiones de este tipo, invisibles pero significativas —decisiones para *renunciar* a tus actividades.

Los puntos de tu lista serán altamente subjetivos, claro. Nadie más podría elaborar tu misma lista. Algunas de las concesiones innecesarias que estás haciendo personalmente, son actos que estarían bien para muchas otras mujeres. Es sólo que van en contra de la esencia de quien realmente eres y quieres ser. No estás intentando ser otra persona, estás intentando ser tú misma. De modo que anota también esos puntos.

Por ejemplo, una mujer con la que trabajé comprendió que el chico con el que salía desde hacía seis meses estaba intentando que ella viviese como si fuese la mujer trofeo. Esperaba que tuviese un aspecto arrollador cada minuto del día, incluso los sábados por la mañana cuando ella salía a hacer alguna gestión por el barrio. En los últimos meses y por el barrio «en contra de su voluntad», se pasaba una cantidad considerable de tiempo arreglándose antes de salir a comprar una botella de leche. A esta mujer le parecía una traición desafiar a su novio yendo a buscar la ropa a la tintorería vistiendo un chándal.

Para otra mujer a la que traté, el problema era el opuesto. Esta mujer *disfrutaba* arreglándose para tener el mejor aspecto posible en todo momento. Solía hacer bromas diciendo que no había salido de casa sin ir completamente maquillada desde que tenía catorce años. Su hombre pensaba que esto era ridículo y que requería mucho tiempo. Haciendo caso omiso de su preferencia, a menudo quedaba para verse los dos con sus amigos en el último minuto y esto le dejaba a mi paciente un tiempo insuficiente para arreglarse como ella quería. Acababa pasando las veladas con sus amigos incómoda y envidiando a las otras mujeres que habían tenido más tiempo para acicalarse. Para esta mujer, la «traición» necesaria consistía en exigir todo el tiempo que necesitara para prepararse. Si su hombre resultaba ser lo bastante egoísta como para negarle ese tiempo, ella planeaba no estar lista, y, de este modo, manifestar su postura.

Ambas mujeres habían estado complaciendo a sus hombres y el resultado era que ambas sufrían. Tenían puntos «opuestos» en sus listas, pero ambos eran válidos. Las dos mujeres necesitaban cambiar y ambas tenían derecho a hacer lo que las hacía felices.

Ordena los puntos de tu lista

Estudia tu lista. Quizá hayas encontrado veinte actos en los que has dado en exceso. Pregúntate qué hubiese ocurrido si sencillamente no hubieses condescendido. Supón que dijeses: «No voy a hacer esta tarea sola nunca más. Insistiré en que me ayude», o «la próxima vez que me insulte delante de los amigos, diré algo» o «el único momento que tengo para hablar con mis amistades es por la noche, de modo que voy a llamar a mi amiga Hillary esta noche para que me explique todo sobre su nuevo trabajo, le guste a él o no». Cuando tengas la intención de cambiar los puntos de tu lista, algunos parecerán más fáciles de cambiar que otros.

Clasifica las conductas sospechosas de tu lista del 1 al 4. El número 1 significa que crees que puedes cambiar la conducta con bastante facilidad. Las conductas que obtienen un 3 y un 4 podrían parecerte, en estos momentos, una franca traición y no vas a intentar cambiarlas todavía. Dedica al menos una semana a ordenar estos puntos; durante la misma te familiarizarás aún más con ellos, y con tu problema. No hagas todavía ningún cambio importante. Cuantos más puntos contenga tu lista y cuanto más precisamente los hayas clasificado según su dificultad, más fácil resultará cambiarlos.

Subir la escalera

Empieza por llevar a cabo los cambios más fáciles, los que has numerado con un 1. Quizá descubras sorprendida que algunos que habías clasificado como «fáciles» parecen casi imposibles. Infravaloraste lo difícil que resultaría. Cuando hiciste tu lista te pareció fácil decirle a tu hombre que tendría que ayudarte a servir a tus amigos cuando iban a casa, pero una vez que está sentado en el sofá en medio de una conversación, pierdes el valor para arrastrarlo hacia la cocina. De modo que te pasas toda la velada llenando los vasos de la gente, pasando la comida y sintiéndote aislada. Cuando escribiste «Conseguir que Aaron me ayude con los invitados», pensaste que tendrías que alzar un peso de medio kilo, pero ahora ves que se trata realmente de catorce kilos. No hay problema. Dale una numeración más alta al punto y ya te ocuparás de él más adelante. Resultará más fácil una vez que hayas ganado más fuerza y claridad realizando los cambios que eres capaz de llevar a la práctica ahora.

Por otra parte, es muy probable que quieras clasificar de nuevo algunos puntos a los que les habías otorgado una numeración más alta para ponerlos en la categoría 1. Pensaste que resultaría casi imposible decirle a tu hombre que su ex mujer tiene que encontrar a otras personas distintas de él para que le hagan algunos trabajos en la casa. Sus exigencias os desbaratan demasiado; a medida que piensas en ello, te irrita cada vez más y de repente te sientes preparada para decírselo. Adelante, díselo.

Cuando empiezas a subir la escalera de estos ajustes, podrás ver claramente lo que realmente está pasando. En el peor de los casos, tu hombre será completamente intolerante con tus deseos. Te dirá que su relación con su ex mujer no es asunto tuyo. O se enfadará cuando le digas que se ponga manos a la obra, aunque sólo sea un uno por ciento. «Si no te apetece servir a la gente cuando viene a ver la final del campeonato de fútbol americano, pues no lo hagas. Mis amigos pueden ir ellos mismos a la nevera y sacarse unas cervezas.» La idea de veinte hombres vagando por tu cocina (si es que pueden encontrarla) y saqueando los armarios te provoca pánico, pero tu hombre ha establecido las bases de la pelea: te ha dicho que sirvas la comida y la bebida o que sufras las consecuencias.

Éste es el *peor* resultado posible: cuando lo que te temías se convierte en realidad. El hombre no se toma seriamente ninguno de tus intereses. No es capaz de renunciar a ningún control y no sabe jugar con otros niños, especialmente si son del sexo femenino. Has descubierto que no considera que valga la pena hacer ninguna concesión por la relación. Ésa puede muy bien ser la razón por la cual todavía está soltero.

Pero su reforma o su crecimiento no son tu proyecto. Probablemente otras lo habrán intentado y habrán fracasado y, ahora, sin él, se encuentran en unas circunstancias más favorables. *No* eres un fracaso e indudablemente no eres responsable de la desastrosa incapacidad de amar que él manifiesta. Para una mujer, el intento de transformar a un hombre incapaz de amar en un hombre que pueda hacerlo, y que la ame, representa una tentación enorme; pero, dando por sentado que has atendido las necesidades básicas de tu hombre, has hecho todo lo que has podido. En lugar de entregar tu vida a una empresa estéril mientras te culpas repetidamente a ti misma por las limitaciones de otra persona, el único recurso es el de acabar la relación y empezar con otra persona.

Sin embargo, el noventa por ciento de las veces, el resultado no será éste. Muchos hombres sencillamente aceptarán tu nueva conducta. Te sorprenderá descubrir que lo que temías estaba casi por completo en tu mente. Cuando le pides a tu hombre que contribuya, se encoge de hombros, dice «lo que sea» y está de acuerdo en hacerlo. Cuando le digas que vas a pasar el sábado buscando antigüedades con una amiga íntima, lo aceptará. Él también tiene muchas cosas que hacer.

La mayoría de los hombres se encuentran en algún lugar intermedio; de no ser así, este libro no sería necesario. La Apariencia Masculina de tu hombre le hará sentirse algo herido cuando se encuentre con alguna oposición. Quizá te mire con desconfianza e intente persuadirte de que lo complazcas más de lo que tú realmente quieres. «¿No puedes ir a mirar antigüedades con Beth cuando yo esté fuera de la ciudad por negocios?» o «¿podemos realmente permitirnos comprar antigüedades en estos momentos?» O te mirará con cara de pena y te dirá «realmente esperaba ilusionado que pudiésemos...»

Tendrás dudas o sentirás una punzada de culpabilidad porque él quiere que lo sientas, pero las graves consecuencias de defraudarlo que habías previsto no aparecen por ninguna parte. **Mantente en tu postura** y tu hombre pronto superará cualquier cosa que ahora le incomode. Serás más feliz y podrás superar tu depresión o tu enfado. Y tu buen humor le hará sentirse más feliz contigo. Estáis desarrollando una relación recíproca susceptible de crear un contexto para el matrimonio, más que sustentar una relación de complacencia, que no lo creará.

Cuando te consagres a los puntos de la categoría 1, no prestes atención a los otros peldaños de la escalera. Tus primeros cambios no resultarán fáciles, pero necesitas empezar por alguna parte a fin de restaurar tu autoestima y hacer que sea posible mantener una verdadera relación amorosa. Sé resuelta. Si tu hombre se comporta como si estuviese ligeramente sorprendido por tu inconformismo, ignóralo. Puedes mantener sus necesidades básicas en mente sin renunciar a las tuyas. Recuerda que, recuperando lo mejor de ti y si hay amor por parte de ambos, estarás sustentando ese amor.

Tendrás que dedicar unas cinco semanas a cada peldaño de la escalera y, después, necesitarás algo de tiempo para vigilar tu conducta a fin de no volver a cometer los mismos errores, pero pronto empezarás a ver los beneficios.

Marcy había observado de qué modo su relación amorosa se iba deteriorando durante los cuatro meses que llevaba viviendo con Jonathan. Hacía aproximadamente un año que estaban juntos y ahora la chispa había desaparecido. Cuando habló de su relación conmigo, Marcy comprendió que estaba atormentada por el miedo a disgustar a Jonathan de cualquier manera.

Marcy se había interesado en Jonathan en parte porque era un ejecutivo que había triunfado y porque tenía un estilo imperativo.

Estaba acostumbrado a salirse con la suya. Ejercía una gran influencia en la oficina y esperaba que las personas que formaban parte de su vida privada acatasen sus deseos, casi como si fuesen sus empleados. Cuando los operarios o los dependientes de los almacenes no le servían con la suficiente rapidez, hacía prontamente algún comentario, y todas las personas que estaban cerca de él, incluida Marcy, se sentían en peligro por su enfado o su disgusto si no estaban a la altura de lo que él esperaba de ellas.

Jonathan se mostraba muy afectuoso con Marcy. A menudo le hacía cumplidos y era considerado con ella, sorprendiéndola con pequeños regalos y recordando las fechas especiales. Al sentir ella que él era como un premio, resultaba muy duro defraudarle. Y, sin embargo, Jonathan se sentía a menudo decepcionado o al menos actuaba como si lo estuviese. Marcy podía adivinarlo porque él elevaba la ceja fastidiosamente cuando ella no hacía exactamente lo que él esperaba.

¿Podría la mujer adecuada reducir un poco su severidad? En Marcy, Jonathan había encontrado una mujer que tenía miedo a poner a prueba esa hipótesis. Marcy se esforzaba demasiado en cumplir las expectativas de Jonathan, incluso las que él no había expresado pero que ella intuía a partir de aquella ceja alzada o por un ligero gruñido de desaprobación.

Cuando le sugerí a Marcy que hiciera una lista de las cosas en las que lo complacía en demasía, al principio se resistió. Sin embargo, le dije que entre los beneficios de cambiar su conducta estaba el de que descubriría lo importante que era ella realmente para Jonathan.

Entre los puntos que Marcy había determinado como sus primeros retos se encontraba el de dejar de justificarse por lo que hacía con cada minuto de su tiempo, tal como había sucedido hasta entonces. Antes de conocer a Jonathan, a Marcy siempre le había hecho ilusión dar una vuelta en bicicleta tras el trabajo. Ahora que estaba con Jonathan, seguía montando en bicicleta, pero siempre se sentía culpable. No había noche en que Jonathan no le preguntase: «¿Cuánto vas a tardar?» Ella le decía el mínimo tiempo posible: «Media hora. ¿De acuerdo?» Cuando salía se sentía ligeramente ansiosa y, tras abreviar su ruta, empezaba a experimentar un ligero pánico hacia el final y se apresuraba a volver por miedo a llegar tarde.

La primera afirmación simbólica de sí misma que hizo Marcy consistió en asegurarse de que llegaba al menos diez minutos *después* de la hora en que la esperaba Jonathan. Aunque sabía que no había una presión real —no tenían que ir a ningún sitio aquella noche— Marcy se sorprendió ante la cantidad de miedo que fue sintiendo a medida que iban pasando esos minutos adicionales. Sólo alguien que ha luchado contra el problema de conformarse en exceso en una relación amorosa puede apreciar cuán difícil resultó para Marcy forzarse a llegar tarde. Se imaginaba a Jonathan poniéndose en su contra y estando enfadado con ella toda la noche. Incluso le venían imágenes a la mente en las que él no estaba en el apartamento cuando ella regresaba y la llamaba para decirle que la relación se había acabado.

La verdad es que Jonathan le lanzó una mirada de enfado fulgurante. Por primera vez, Marcy se sintió enfadada por esa mirada; la consideró mezquina y crítica, pero de todos modos se amilanó e inmediatamente pidió disculpas por su «retraso». La semana siguiente, añadimos a su lista no disculparse cuando no había hecho nada malo. Eso también resultó difícil para Marcy y, por primera vez, pudo comprobar con cuánta frecuencia se descubría pidiéndole disculpas a Jonathan.

A medida que se ocupó mejor de sí misma y dejó, entre otras cosas, de escrutar las expresiones faciales de Jonathan, el miedo de Marcy a la «desobediencia civil» amainó. Jonathan la quería de verdad y fue capaz de abandonar un poder que, desde el principio, nunca debería haber poseído.

Marcy comprendió que, en buena medida, Jonathan seguía siendo soltero por su necesidad excesiva de tener el control. Antes de Marcy, y al principio también con Marcy, había elegido inconscientemente a mujeres que se subordinasen a él. En sus dos relaciones serias anteriores, tanto él como la mujer pagaron un precio por ello. Ambas mujeres le habían complacido excesivamente. Habían perdido el sentido de su propio atractivo, estaban resentidas con él, se habían deprimido y la relación se había extinguido. En Marcy,

Jonathan había encontrado finalmente a una mujer que se negaba a renunciar a su propia identidad, ni siquiera en los pequeños detalles. Al final, tuvo mucho más que ofrecerse a sí misma y a Jonathan que aquellas que se habían sacrificado inútilmente por él.

Completando las revisiones del primer peldaño de su escalera, Marcy construyó la confianza y se brindó la perspectiva que puso a su alcance el siguiente peldaño de cambios. Atacó sucesivamente cada uno de estos peldaños, lo hizo bien y, durante ese proceso, aumentó todavía más su autoestima y resultó más deseable.

Marcy salvó la relación restaurando la paridad. Aunque no todos los hombres quieran verdaderamente a una mujer que puedan respetar (y algunas relaciones sencillamente no funcionan), he descubierto que la mayoría de hombres quieren a una verdadera pareja. Pese a su Apariencia Masculina, son capaces de amar y respetar a la mujer adecuada. Jonathan se volvió a enamorar de la vieja Marcy, y los dos se casaron al año siguiente.

Descúbrete a ti misma mientras mejoras tu relación amorosa

Has decidido estudiar de qué modo has estado dando demasiado a fin de salvar tu relación amorosa pero, como terapeuta, te aseguro que cualquier estudio de ti misma te aportará unos beneficios adicionales. Mientras asciendes por la escalera del cambio personal, puedes descubrir muchas cosas sobre ti. Entenderás *por qué* razones has estado dando en exceso —no sólo las razones obvias (que quieres casarte y no quieres estar sola) sino las razones que son mucho más profundas.

Durante esos momentos en los que pruebas una conducta nueva y arriesgada, obtendrás unas visiones momentáneas espectaculares de ti misma e incluso de tu pasado. **De hecho, eres capaz de identificar miedos que provienen de la infancia.**

Para alcanzar ese conocimiento, no descartes tu miedo. En lugar de ello, examínalo de cerca; hazlo porque tiene mucho que decirte, y lo que te diga te ayudará en el futuro.

Cuando Marcy me explicó su fantasía de que Jonathan estaría furioso e incluso podría *dejarla* por su «desafío» de llegar tarde, añadió rápidamente: «Sabía que no era posible, pero eso es lo que sentía». ¿Por qué tenía esa fantasía en particular? Se lo pregunté a Marcy: «¿Había alguien en tu infancia a quien temieses decepcionar, alguien que tenías miedo a que te abandonase?» Me contestó de inmediato: «Mi padre. Siempre estaba hablando de los "jugadores de equipo" y de lo herido que se sentía cuando la gente le fallaba. A veces se pasaba días enteros seguidos sin hablarnos a mi hermano o a mí».

De pronto, la visión temerosa de Marcy cobró sentido. En realidad, el padre de Marcy los abandonaba a ella y a su hermano de forma instantánea cuando le ocasionaban un disgusto. En un momento dado era un padre amoroso y, al siguiente, era un extraño que no les dirigía la palabra por algo que habían hecho. Marcy había vivido toda su vida con la sensación permanente de que alguien que amas puede alejarse de ti repentinamente si haces algo que le desagrada, aunque sólo fuese durante un instante.

Al tomar la decisión deliberada de ser menos obediente y estudiar su reacción, Marcy había expuesto finalmente su propia fuerza motora. Estaba previniendo la *decepción paterna*. Al desafiar a Jonathan y estudiar su propia reacción, Marcy comprendió plenamente, por primera vez, lo que realmente temía. El temor infantil de ser abandonada cruzaba por su mente tan claramente como si fuese una película.

Resultó ser que Jonathan, aunque era melindroso, no era punitivo y la amaba verdaderamente —lo cual Marcy pudo descubrir repetidas veces a medida que fue subiendo por la escalera del cambio—. Después de un tiempo, cuando las imágenes de Jonathan sintiéndose roto y abandonándola aparecían en su mente, Marcy era capaz de reconocerlas como un producto irreal de su pasado.

Pronto, resultó obvio para Marcy que no tenía que apresurarse a regresar a casa cuando iba a montar en bicicleta. Cuando afirmó su independencia, Jonathan dejó de intentar que ella precisase la hora en que iba a regresar. Empezó a organizar sus propias actividades en función de los paseos en bicicleta nocturnos de Marcy. Al cabo de poco tiempo, Marcy fue capaz de disfrutar de esos paseos sin siquiera pensar que iba a tener un problema.

Pero cuando Marcy abordaba tareas más difíciles, éstas todavía le provocaban las mismas fantasías de castigo. Dos meses más tarde, cuando Marcy le dijo a un amigo de Jonathan que no quería volver a oír sus chistes sexistas, se produjo un silencio de diez segundos. Marcy se quedó paralizada por el pensamiento de que, al final, había ido realmente demasiado lejos y que Jonathan le diría que la iba a abandonar. Sin embargo, a esas alturas Marcy sabía lo bastante como para desconfiar de esa imagen; reconocía la fuente. Cuando otra mujer que estaba en la mesa cenando con ellos dijo que ella tampoco podía soportar las bromas de aquel tipo, el mismo Jonathan se puso de su parte y le dijo a su amigo: «Te estoy diciendo siempre que dejes de hacerlo. Son cosas que se dicen en el instituto».

Tras ser más asertiva, te sorprenderán los descubrimientos que harás cuando examines tus propias reacciones. Una mujer con la que trabajé, se estremecía ante la imagen que cruzaba por su mente de que su novio la abofetearía en la cara si ella ponía objeciones a su egoísmo. Su padre adoptivo había abofeteado a sus hermanos por contestarle. Aunque nunca pegó a las niñas, la conducta altamente solícita de mi paciente estaba motivada por el miedo a este tipo de represalia en particular. Conscientemente nunca había identificado este miedo hasta que evocó una imagen vívida de él durante un acto deliberado de «desobediencia». Cuando lo hizo, inmediatamente entendió de dónde provenía la imagen. Se quedó horrorizada al darse cuenta que se había permitido vivir con aquel miedo primitivo. Saber qué es lo que verdaderamente provocaba su miedo ayudó mucho a esta mujer. Se recordó a sí misma que ahora era una chica mayor entre adultos y que nadie podría golpearla por nada. Pronto empezó a cuidar de sí misma y a expresar sus opiniones con mucha más libertad.

Otra mujer tenía la visión horrible de que asesinaba a su novio siempre que sentía que lo estaba disgustando. De niña, ella y su hermana habían vivido con el miedo de matar a su padre, cuyos problemas de corazón subyugaban la vida familiar y la mantenía en un estado de estricta conformidad. Por cierto, su padre todavía estaba vivo.

Es posible descubrir más sobre ti misma cuando rompes una pauta habitual que de cualquier otra manera. La verdadera función de los hábitos es la de evitarnos tener que pensar sobre la razón por la que estamos actuando. Cuando rompes un hábito, el propósito original vuelve con violencia, en forma de miedo. ¿Por qué miedo? Porque, de repente, te sientes en un terreno inseguro. No estás haciendo lo que solías hacer. Resulta importante saber que, por lo general, tu miedo es una respuesta al pasado que se ha preservado con el hábito, como si hubiese permanecido sellado en ámbar.

En el caso desafortunado de que tu miedo sea más que una respuesta al pasado, lo descubrirás de inmediato. Es posible que tu novio resulte ser una persona pendenciera que insista en tomar el control de tu vida. Esto será obvio porque te castigará. Indudablemente, algunos hombres se vuelven insufribles y no aflojan.

El cuarto peldaño de una mujer consistía en desafiar a su novio, que era excesivamente celoso, regresando a casa del despacho con un compañero de trabajo que vivía en el mismo edificio. No había nada romántico entre ellos, pero a menudo mantenían conversaciones catárticas sobre los problemas laborales. Existía un buen entendimiento entre ellos y hubiera resultado muy embarazoso para la mujer buscar excusas para no andar las diez manzanas con él cuando salían del trabajo a la vez.

Aun así, se imaginaba que a su celoso novio le daría prácticamente un ataque si descubriese que daban esos paseos de forma regular. Resultó que tenía razón. Cuando mencionó que a menudo volvía a casa andando con Dan, «que es muy amable», su novio empezó a acusarla salvajemente. Casi sin dejarla hablar, mencionó otra serie de actos que ella había llevado a cabo a lo largo de los meses sobre los que él tenía cosas que objetar. Aun cuando no los había sacado a colación, los recordaba vívidamente y, al parecer, todavía le estaban quemando. No había vuelta atrás para ninguno de los dos.

Esta mujer se alegró de haber empezado a subir la escalera de su dignidad personal porque le permitió ver que estaba con el hombre equivocado. En su siguiente relación, se cuidó a sí misma y puso fin a lo que podía haber sido una cadena perpetua de aventuras amorosas fundadas en la base de «complacer a una persona y morir».

Sin embargo, en casi todos los casos, cuando empieces a ocuparte de ti misma, descubrirás que has estado exagerando desmedidamente los castigos por arreglar la relación. Cuando veas de forma vívida de qué has estado asustada, apreciarás que, en gran medida, has estado temiendo a un fantasma. El hombre con el que estás no es un padre todopoderoso, ni un padrastro, ni un hermano, ni una madre. No es tu último novio. Es sólo un hombre que está intentando entender en qué consiste la vida y el amor —no es distinto a ti—. Y si te ama, indudablemente no querrá perderte.

10

Tu relación más importante

¿Cómo puedo ser verdadera?
¿Debo ser fiel a mí o a ti?

La respuesta correcta a esta pregunta, expresada en estas palabras por la poetisa Sara Teasdale, es que para que tenga lugar un matrimonio y triunfe tienes que ser fiel a *ambos*. Aún más importante que tu relación amorosa es la relación contigo misma. Si tienes que traicionarte para conseguir que este hombre se case contigo, probablemente no lo hará y, aunque lo haga, habrás creado un gran problema.

En este libro, he hablado sobre las necesidades secretas de tu hombre y, a estas alturas, probablemente tienes un conocimiento mucho mayor sobre ellas de las que él podría expresar con palabras. Hasta cierto punto, su Apariencia Masculina le hace estar ciego a su necesidad de sentirse especial, su necesidad de sentirse libre de cargas, su necesidad de lealtad y su necesidad de intimidad; pero el arte de hacer que una relación amorosa funcione no consiste sencillamente en satisfacer sus necesidades; consiste en satisfacer a tu hombre mientras te otorgas a ti misma lo que tú también necesitas.

Si este libro tratase sobre golf, matemáticas o dinero, probablemente no tendría que recordarte: «No te olvides de que tu autoestima y satisfacción son más importantes que de lo que estamos hablando». Pero cuando se trata del amor, tristemente, es fácil olvidarte de tu autoestima, tus necesidades e incluso de las aspiraciones de tu infancia: las visiones de una relación feliz que te han animado a lo largo de tus altibajos.

Tu reto, pues, consiste en alcanzar un equilibrio en el que tu hombre esté satisfecho pero también aprecie tus necesidades y quiera satisfacerlas. Si sabes cómo hacerlo, esto no es tan difícil como parece. La mayoría de los hombres desean amor y quieren casarse pese a sus bromas constantes sobre no querer hacerlo, pero cuando las cosas no funcionan «automáticamente» tienden a avanzar con cinismo, en lugar de buscar en su alma y hablar seriamente sobre lo que no está funcionando. Aprender cómo es verdaderamente tu hombre te brindará un acceso a fin de que eso no ocurra, pero también necesitas mantener el acceso a ti misma y comunicarle esas verdades a él.

El matrimonio se parece más a una maratón que a un *sprint*, si bien no es exactamente ninguna de las dos cosas. Es una maratón que empieza con un *sprint*. Para que funcione, tienes que estar cómoda con la marcha que determinas. Tienes que ser tú misma —tu mejor yo, a ser posible, pero tu verdadero yo—. La subordinación exagerada del yo, sirviendo a tu hombre o fingiendo ser una persona que no eres, te imposibilitará correr la maratón.

Éste es tu reto, pero la recompensa es enorme. No te olvides de ti misma mientras amas a tu hombre. El hombre adecuado no querría que así fuese. Cualquier hombre que valga la pena, que te ame, obtendrá una gran satisfacción por hacerte feliz. De hecho, *sabrás* que es el hombre adecuado si puedes amarle a él y amarte a ti misma. Date la oportunidad y concédesela también a él.

Sobre el autor

George Weinberg, es doctor en Filosofía, psicólogo clínico y autor de nueve libros, entre los que se cuentan *Self Creation*, *The Heart of Psychotherapy* y *Society and the Healthy Homosexual* (en el que acuñó el término «homofobia»). Ha intervenido en muchos programas de radio y programas televisivos de Estados Unidos como el *The Oprah Winfrey Show* y *Live with Regis and Kathy Lee*, y ha colaborado frecuentemente en varias revistas, desde *Cosmopolitan* y *Glamour* hasta *TV Guide* y *Reader's Digest*.